Inglés Inglés Inglés Inglés Inglés Inglé
as. sin Barreras. sin Barreras. sin Barreras. sin Barre

nglés Inglés Inglés Inglés Inglés Inglés
Barreras. sin Barreras. sin Barreras. sin Barreras. sin Barreras. sin Barreras. si

Inglés Inglés Inglés Inglés Inglés Inglé
as. sin Barreras. sin Barreras. sin Barreras. sin Barreras. sin Barreras. sin Barr

nglés Inglés Inglés Inglés Inglés Inglés
Barreras. sin Barreras. sin Barreras. sin Barreras. sin Barreras. sin Barreras. si

Inglés Inglés Inglés Inglés Inglés Inglé
as. sin Barreras. sin Barreras. sin Barreras. sin Barreras. sin Barreras. sin Barr

nglés Inglés Inglés Inglés Inglés Inglés
Barreras. sin Barreras. sin Barreras. sin Barreras. sin Barreras. sin Barreras. si

Inglés Inglés Inglés Inglés Inglés Inglé
as. sin Barreras. sin Barreras. sin Barreras. sin Barreras. sin Barreras. sin Barr

nglés Inglés Inglés Inglés Inglés Inglés
Barreras. sin Barreras. sin Barreras. sin Barreras. sin Barreras. sin Barreras. si

Inglés Inglés Inglés Inglés Inglés Inglé
as. sin Barreras. sin Barreras. sin Barreras. sin Barreras. sin Barreras. sin Barr

nglés Inglés Inglés Inglés Inglés Inglés
Barreras. sin Barreras. sin Barreras. sin Barreras. sin Barreras. sin Barreras. si

Inglés Inglés Inglés Inglés Inglés Inglé
as. sin Barreras. sin Barreras. sin Barreras. sin Barreras. sin Barreras. sin Barr

nglés Inglés Inglés Inglés Inglés Inglés
Barreras. sin Barreras. sin Barreras. sin Barreras. sin Barreras. sin Barreras. si

Inglés Inglés Inglés Inglés Inglés Inglé
as. sin Barreras. sin Barreras. sin Barreras. sin Barreras. sin Barreras. sin Barr

nglés Inglés Inglés Inglés Inglés Inglés
Barreras. sin Barreras. sin Barreras. sin Barreras. sin Barreras. sin Barreras. si

Inglés Inglés Inglés Inglés Inglés Inglé
as. sin Barreras. sin Barreras. sin Barreras. sin Barreras. sin Barreras. sin Barr

nglés Inglés Inglés Inglés Inglés Inglés
Barreras. sin Barreras. sin Barreras. sin Barreras. sin Barreras. sin Barreras. si

Inglés Inglés Inglés Inglés Inglés Inglé
as. sin Barreras. sin Barreras. sin Barreras. sin Barreras. sin Barreras. sin Barr

2 Conociéndonos más

Manual

ISBN: 1-59172-294-2
ISBN: 978-1-59172-294-6
I705VM02

Dedicatoria

Dedicamos este curso a todos los hispanos que tomaron la iniciativa de traer el idioma inglés a sus vidas para expandir sus horizontes. Los sueños pueden convertirse en realidad. Con gran respeto y afecto,

Sus amigos de Inglés sin Barreras

Metodología	Center for Applied Linguistics
Texto	Karen Peratt, Cristina Ribeiro
	Center for Applied Linguistics
	International Media Access Inc.
Ilustraciones	Gabriela Cabrera, Linda Beckerman
Diseño gráfico	Magnus Ekelund, Efrain Barrera, bluefisch design
Guión adaptado - inglés	Karen Peratt
Guión adaptado - español	Cristina Ribeiro
Edición	Betsabé Mazzolotti, Horacio Gosparini, Yuri Murúa, Damián Quevedo, Mike Ramirez
Aprendamos viajando	Marcos Said, Pablo Moreno, Alfredo León
Aprendamos conversando	Howard Beckerman
	Producción: Heartworks International, Inc.
Música	Erich Bulling
Fotografía	Alejandro Toro, Alfredo León
Producción en línea	Miguel Rueda
Dirección - video	Loretta G. Seyer, Patricio Stark
Coordinación de proyecto	Juliet Flores, Cristina Ribeiro
Dirección de proyecto	Karen Peratt, Arleen Nakama
Directora ejecutiva	Valeria Rico
Productor ejecutivo y director creativo	José Luis Nazar

Conociéndonos más

Índice

Lección

1

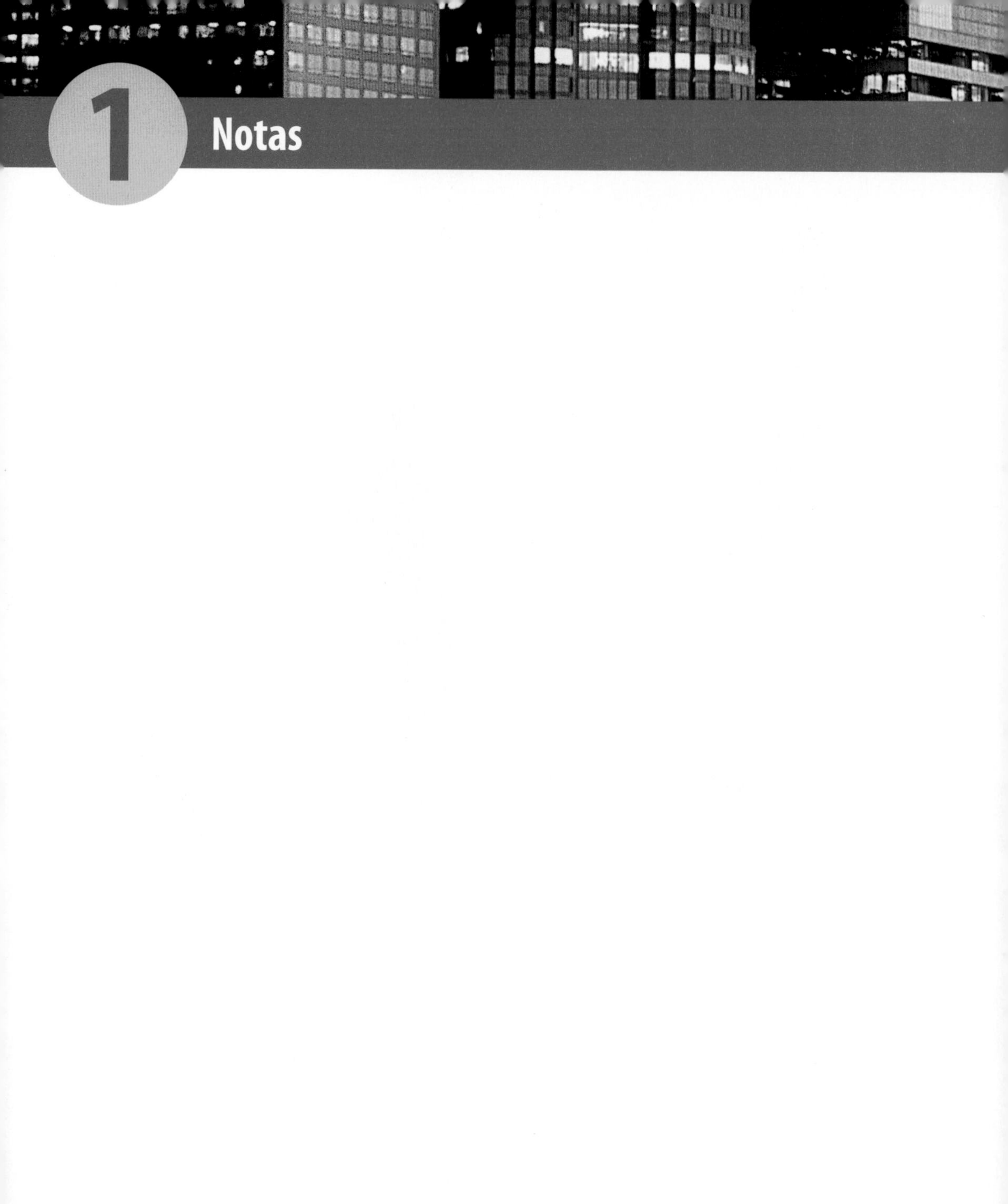

1 Notas

Le recomendamos que lea las palabras del vocabulario antes de ver el video correspondiente a esta lección. Éstas son las palabras más importantes de esta lección.

person	*persona*
people	*personas, gente*
tall	*alto(a)*
average	*de estatura media*
short	*bajo(a)*
fat	*gordo(a)*
thin	*delgado(a)*
handsome	*guapo*
pretty	*bonita, linda*
ugly	*feo(a)*
young	*joven*
middle-aged	*de mediana edad*
old	*viejo(a)*

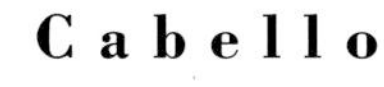

Cabello

hair	*pelo, cabello*
long	*largo*
short	*corto*
straight	*liso, lacio*
curly	*rizado*
black	*negro*
blond	*rubio*
brown	*castaño*
red (hair)	*pelirrojo(a)*
gray	*gris*
bald	*calvo(a)*

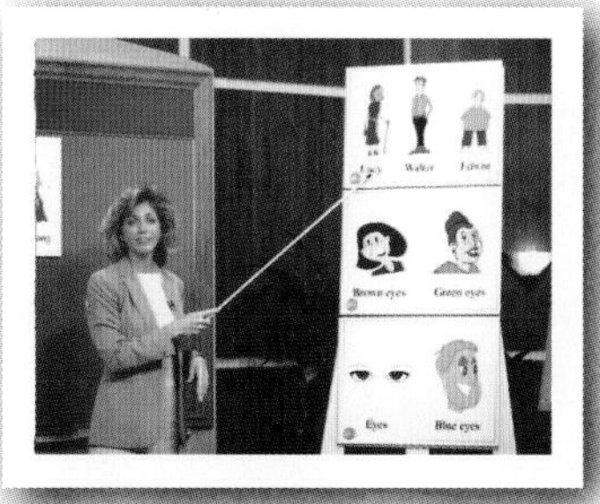

1 Vocabulario

Color de ojos

eyes	*ojos*
blue	*azules*
brown	*castaños, marrones*
green	*verdes*

Más vocabulario

beautiful	*bello(a), hermoso(a)*
cute	*lindo(a)*
(to) describe	*describir*
(to) listen	*escuchar*
(to) practice	*practicar*
picture	*dibujo, fotografía*
poster	*póster*
friend	*amigo(a)*
teacher	*maestro(a), profesor(a)*
husband	*esposo*
wife	*esposa*
nephew	*sobrino*
niece	*sobrina*
word	*palabra*
birthday	*cumpleaños*

Elementos esenciales

Esta sección destaca los elementos básicos de la lección. Lea detenidamente lo que incluimos en ella.

I have	*yo tengo*
you have	*tú tienes, usted tiene*
he has	*él tiene*
she has	*ella tiene*
it has	*ello tiene*
we have	*nosotros tenemos*
you have	*ustedes tienen*
they have	*ellos tienen*

Cuando usted practique con palabras que sirven para describir personas, lugares o cosas (adjetivos calificativos), trate de hacerlo en un lugar donde usted pasa gran parte de su tiempo o donde hay personas con las cuales usted está en contacto por bastante tiempo, además de su familia, como su lugar de trabajo por ejemplo.

1 Vocabulario

Aprenda y practique

Le recomendamos que aprenda las expresiones y oraciones que se incluyen en esta sección. Practique usando lo aprendido cada día.

I am...
You are...
He is...
She is...

We are...
You are...
They are...

...tall.
...short.
...average.
...young.
...middle-aged.
...old.
...handsome.
...pretty.
...ugly.
...fat.
...thin.

Yo soy...
Tú eres...
Usted es...
Él es...
Ella es...

Nosotros somos...
Ustedes son...
Ellos son...

...alto(a), altos(as).
...bajo(a), bajos(as).
...de estatura media.
...joven(es).
...de mediana edad.
...viejo(a), viejos(as).
...guapo(s).
...bonita(s).
...feo(a), feos(as).
...gordo(a), gordos(as).
...delgado(a), delgados(as).

! La palabra **handsome**, guapo, se usa para describir a los hombres.
La palabra **pretty**, bonita o linda, se usa para describir a las mujeres.

Vocabulario 1

En inglés, usamos el verbo **(to) have** para describir el pelo y los ojos de una persona.

I have brown hair.	*Yo tengo el pelo castaño.*
You have hair.	*Tú tienes pelo.*
	Usted tiene pelo.
He has blond hair.	*Él tiene el pelo rubio.*
She has gray hair.	*Ella tiene el pelo gris.*
We have green eyes.	*Nosotros tenemos los ojos verdes.*
You have blue eyes.	*Ustedes tienen los ojos azules.*
They have brown eyes.	*Ellos tienen los ojos castaños.*

Sin embargo, para decir que una persona es calva, usamos el verbo **(to) be**.

I am bald.	*Yo soy calvo(a).*

Practique describiendo las cosas que encuentra en su camino al trabajo. Ejemplo: **A blue car** (un auto azul), **a beautiful day** (un lindo día), **an ugly truck** (un camión feo), etc. Si va caminando o si usa transporte público, vaya observando lo que ve a lo largo del camino. Ejemplo: **A little girl (una niñita), a young person** (una persona joven).

pronombres personales, pg. 17

Apuntes

Palabras de significado contrario (antónimos)

tall/short *alto(a)/bajo(a)*
long/short *largo(a)/corto(a)*
curly/straight *rizado(a)/liso(a)*
thin/fat *delgado(a)/gordo(a)*
pretty/ugly *bonita/fea*
handsome/ugly *guapo/feo*
young/old *joven/viejo(a)*

Short se usa para describir la altura.

She is short. *Ella es baja.*

Pero también significa corto o corta. Se usa, por ejemplo, para describir el cabello de una persona.

She has short hair. *Ella tiene el cabello corto.*

Por lo tanto, en inglés, hay dos palabras de significado contrario a **short**. Son las palabras **tall** y **long**.

She is tall. *Ella es alta.*
She has long hair. *Ella tiene el cabello largo.*

Algunas palabras no tienen contrarios, como por ejemplo:

middle-aged	*de mediana edad*
average	*de estatura media*

Palabras que tienen el mismo significado (sinónimos)

En inglés, hay varias formas de expresar la misma cosa.
Las palabras siguientes tienen más o menos el mismo significado.

fat	=	heavy	thin	=	skinny
gordo		*corpulento*	*delgado*		*flaco*

1 Clase

Aun cuando las palabras tengan el mismo significado, pueden variar en intensidad. Cuando se describe a una niña o a una mujer, se pueden usar estas palabras.

significado:	menos marcado	más marcado
	pretty	beautiful
	bonita	*bella, hermosa*

Cuando se describe a un niño o a un hombre, se pueden usar estas palabras.

significado:	menos marcado	más marcado
	nice-looking	handsome
	atractivo	*guapo*

! La palabra **cute**, lindo(a), se usa para describir a niños, bebés y animales domésticos tales como gatos y perros.

Diálogo 1

Éste es el texto completo del diálogo incluido en el video. Usted hará el papel del espectador **(viewer)**. Si le hacen una pregunta personal, conteste usando información personal. Tenga en cuenta que las respuestas del espectador que le proporcionamos no son las únicas respuestas correctas.

¿Quién es Jack?

Janet	Hi, Bill. *Hola, Bill.*
Bill	Hello, Janet. It's Jack's birthday. *Hola, Janet. Es el cumpleaños de Jack.*
Janet	Who's Jack? Is he your son? *¿Quién es Jack? ¿Es tu hijo?*
Bill	No, he isn't. *No.*
Janet	Is he your son? *¿Es su hijo?*
Viewer *(Usted)*	No, he's not. *No.*
Janet	Is he your friend? *¿Es tu amigo?*
Bill	No, he's not. *No.*

1 Diálogo

Janet	Who is he? *¿Quién es él?*
Viewer *(Usted)*	I don't know. *No lo sé.*
Bill	He's my nephew. *Es mi sobrino.*
Janet	Oh. He has blue eyes... *Oh. Tiene los ojos azules...*
Bill	Yep. *Sí.*
Janet	...and blond hair. *...y el cabello rubio.*
Bill	Yep. *Sí.*
Janet	He is cute! *¡Es lindo!*

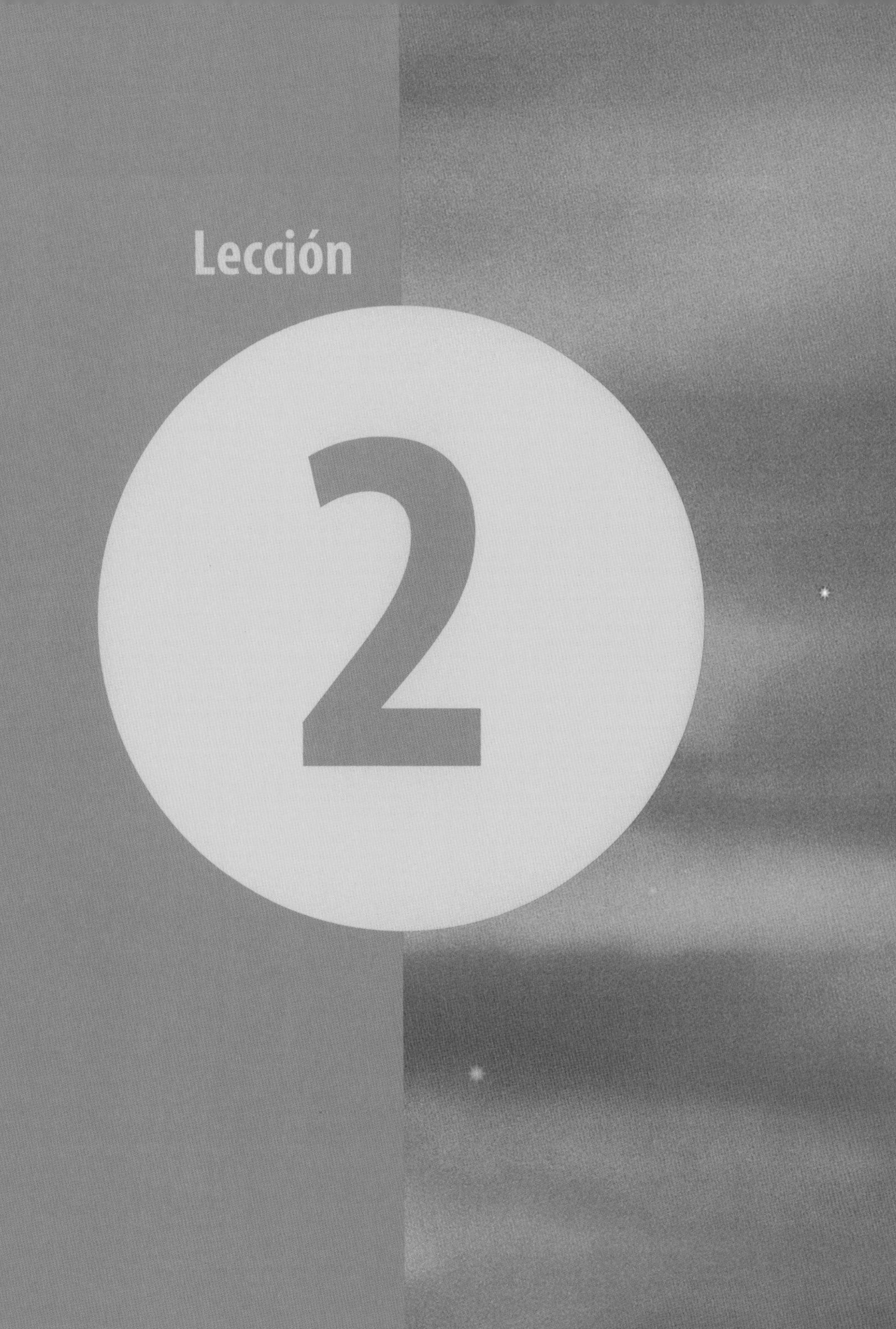
Lección
2

2 Notas

Vocabulario 2

Le recomendamos que lea las palabras del vocabulario antes de ver el video correspondiente a esta lección. Éstas son las palabras más importantes de esta lección.

a	*uno(a), unos(as)*
an	*uno(a), unos(as)*
the	*el, la, lo, los, las*
a little	*un poco*
very	*muy, mucho, mucha*
no	*no*
not	*no*
answer	*respuesta*
question	*pregunta*
boy	*niño*
girl	*niña*
man	*hombre*
woman	*mujer*

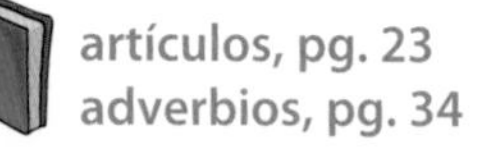

artículos, pg. 23
adverbios, pg. 34

Más vocabulario

there	*allí, ahí, allá*
here	*aquí, acá*

a barrel of laughs

Se usa para indicar que alguien es muy divertido.

— Let's invite Karen to our party.
— That's a good idea! She's a barrel of laughs.

— *Invitemos a Karen a nuestra fiesta.*
— *¡Buena idea! Ella es muy divertida.*

Elementos esenciales

Esta sección destaca los elementos básicos de la lección. Lea detenidamente lo que incluimos en ella.

isn't = is not	*no es, no está*
aren't = are not	*no son, no están*
	no somos, no estamos
I'm not = I am not	*yo no soy, yo no estoy*

contracciones, pgs. 54, 55

2 Vocabulario

Aprenda y practique

Le recomendamos que aprenda las expresiones y oraciones que se incluyen en esta sección. Practique usando lo aprendido cada día.

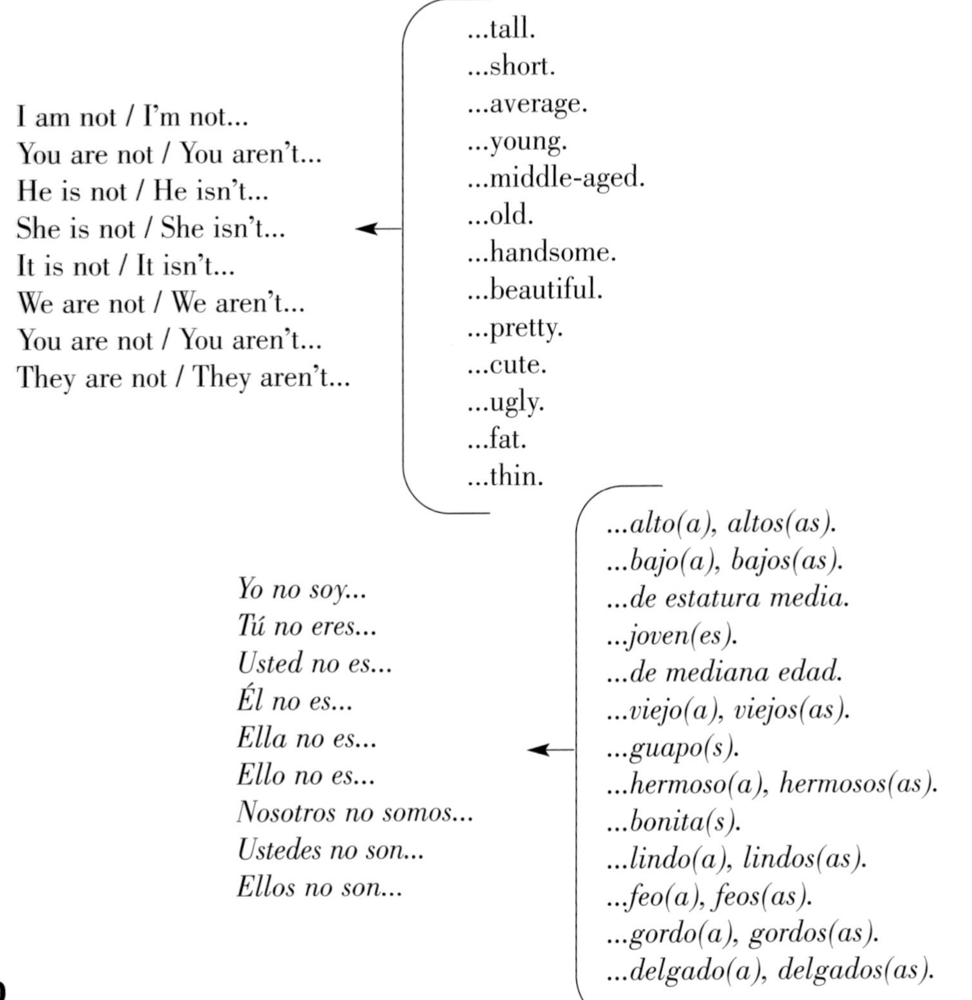

I am not / I'm not...
You are not / You aren't...
He is not / He isn't...
She is not / She isn't...
It is not / It isn't...
We are not / We aren't...
You are not / You aren't...
They are not / They aren't...

...tall.
...short.
...average.
...young.
...middle-aged.
...old.
...handsome.
...beautiful.
...pretty.
...cute.
...ugly.
...fat.
...thin.

Yo no soy...
Tú no eres...
Usted no es...
Él no es...
Ella no es...
Ello no es...
Nosotros no somos...
Ustedes no son...
Ellos no son...

...alto(a), altos(as).
...bajo(a), bajos(as).
...de estatura media.
...joven(es).
...de mediana edad.
...viejo(a), viejos(as).
...guapo(s).
...hermoso(a), hermosos(as).
...bonita(s).
...lindo(a), lindos(as).
...feo(a), feos(as).
...gordo(a), gordos(as).
...delgado(a), delgados(as).

Vocabulario 2

Am I...
Are you...
Is he...
Is she...
Is it...

Are we...
Are you...
Are they...

...tall?
...short?
...average?
...young?
...middle-aged?
...old?
...handsome?
...beautiful?
...pretty?
...cute?
...ugly?
...fat?
...thin?

¿Soy...
¿Eres...
¿Es usted...
¿Es (él)...
¿Es (ella)...
¿Es (ello)...
¿Somos...
¿Son ustedes...
¿Son ellos...

...alto(a), altos(as)?
...bajo(a), bajos(as)?
...de estatura media?
...joven(es)?
...de mediana edad?
...viejo(a), viejos(as)?
...guapo(s)?
...hermoso(a), hermosos(as)?
...bonita(s)?
...lindo(a), lindos(as)?
...feo(a), feos(as)?
...gordo(a), gordos(as)?
...delgado(a), delgados(as)?

Yes, I am.	No, I am not.	No, I'm not.
Yes, you are.	No, you are not.	No, you aren't.
Yes, he is.	No, he is not.	No, he isn't.
Yes, she is.	No, she is not.	No, she isn't.
Yes, it is.	No, it is not.	No, it isn't.

Yes, we are.	No, we are not.	No, we aren't.
Yes, you are.	No, you are not.	No, you aren't.
Yes, they are.	No, they are not.	No, they aren't.

En inglés, se usan frases cortas para dar respuestas afirmativas o negativas a una pregunta. En español, se suele contestar únicamente "sí" o "no".

black sheep

Significa "la oveja negra".

— My girls are good students, but David is always getting into trouble.
— Yes. David is the black sheep of the family.

— *Mis hijas son buenas estudiantes, pero David siempre está metiéndose en líos.*
— *Sí. David es la oveja negra de la familia.*

contestaciones abreviadas, pg.54

Apuntes

La palabra "you"

La palabra **you** (tú, usted, ustedes) se usa para indicar a una o varias personas. **I** (yo) sirve para contestar a una pregunta en la que **you** se refiere a una sola persona. **We** (nosotros) sirve para contestar a una pregunta en la que **you** se refiere a más de una persona.

Are you tall?	*¿Eres alto?*
No, I am not.	*No.*
Are you young?	*¿Son ustedes jóvenes?*
Yes, we are.	*Sí.*

"A", "an" y "the"

Éstas son reglas sencillas que le ayudarán a usar correctamente las palabras **a**, **an** y **the**. **A** y **an** tienen el mismo significado y se usan cuando no se habla de una persona o cosa determinada.

A se usa delante de palabras que empiezan con sonido de consonante.

a **b**oy	*un niño*
a **t**eacher	*un profesor*
a **w**oman	*una mujer*

An se usa delante de palabras que empiezan con sonido de vocal.

an **u**ncle	*un tío*
an **a**unt	*una tía*

artículos indefinidos, pg. 23

2 Clase

The se usa para referirse a una persona o a una cosa específica.

the English teacher	*el profesor de inglés*
the woman with red hair	*la mujer pelirroja*
the boy with curly hair	*el niño de pelo rizado*

Respuestas negativas cortas

En inglés, se suele usar frases cortas para contestar "sí" o "no" a las preguntas.

Hay dos tipos de respuestas negativas cortas.

1. Se crea la respuesta corta uniendo la forma correspondiente del verbo **(to) be** con la palabra **not**.

Is she thin?	*¿Es delgada (ella)?*
No, she is not.	*No.*
No, she isn't.	
Are they old?	*¿Son viejos (ellos)?*
No, they are not.	*No.*
No, they aren't.	

2. Se crea la respuesta corta uniendo la palabra que representa a la persona con la forma correspondiente del verbo **(to) be**.

Is she thin?	*¿Es delgada (ella)?*
No, she is not.	*No.*
No, she's not.	
Are they old?	*¿Son viejos (ellos)?*
No, they are not.	*No.*
No, they're not.	

En español, simplemente se contestaría usando la palabra "no".

No, I am not.	No, I'm not.	No, I'm not.
No, you are not.	No, you aren't.	No, you're not.
No, he is not.	No, he isn't.	No, he's not.
No, she is not.	No, she isn't.	No, she's not.
No, it is not.	No, it isn't.	No, it's not.
No, we are not.	No, we aren't.	No, we're not.
No, you are not.	No, you aren't.	No, you're not.
No, they are not.	No, they aren't.	No, they're not.

Cuando usamos la palabra **I** y el verbo **(to) be**, sólo hay una respuesta corta: **No, I'm not**.

Aprenda a hacer preguntas usando la forma verbal **be** (ser/estar) usando un juego popular "Twenty Questions" (20 Preguntas). Simplemente escoja a diferentes personas a su alrededor y hágales preguntas, tales como: **Are you tired?** (¿Está usted cansado?) **Are you busy?** (¿Está usted ocupado?). Vea si responden usando las frases negativas.

contestaciones abreviadas, pg. 54

2 Diálogo

Éste es el texto completo del diálogo incluido en el video. Usted hará el papel del espectador (**viewer**). Si le hacen una pregunta personal, conteste usando información personal. Tenga en cuenta que las respuestas del espectador que le proporcionamos no son las únicas respuestas correctas.

El juego de las adivinanzas

Robert	Hello. *Hola.*
Tom	Is Janet there? *¿Está Janet?*
Robert	No. *No.*
Tom	What's your name? *¿Cómo te llamas?*
Robert	My name is Robert. *Me llamo Robert.*
Tom	Oh, who are you? Is he old? *Oh, ¿quién eres tú? ¿Es viejo?*
Viewer *(Usted)*	No, he isn't. *No.*
Tom	You're young, aren't you? *Eres joven, ¿no?*

Robert	Yes, I am. *Sí.*
Tom	Is he bald? *¿Es calvo?*
Viewer *(Usted)*	No, he isn't. *No.*
Tom	You're bald, aren't you? *Eres calvo, ¿no?*
Robert	No! I have brown hair. *¡No! Tengo el pelo castaño.*
Tom	And his eyes? *¿Y sus ojos?*
Viewer *(Usted)*	He has green eyes. *Tiene los ojos verdes.*
Tom	Do you have green eyes? *¿Tienes los ojos verdes?*
Robert	Yes, I do. *Sí.*
Tom	Are you Ann's son? *¿Eres el hijo de Ann?*
Robert	Yes, I am. Who are you? *Sí. ¿Quién eres tú?*
Tom	Oh. My name's Tom. *Oh. Me llamo Tom.*

Pronunciación

Lección

P

P Vocabulario

Le recomendamos que lea las palabras del vocabulario antes de ver el video correspondiente a esta lección. Éstas son las palabras más importantes de esta lección.

How many?	*¿Cuántos? ¿Cuántas?*
one	*uno*
two	*dos*
part	*parte*
syllable	*sílaba*
stress	*acento*

Cuando practique la frase **how many** (cuántos) o **how much** (cuánto), asegúrese de pronunciar la "h" correctamente. La letra "h" en inglés es un sonido que se pronuncia al botar aire, lo que significa que usted debe empujar el aliento de su boca hacia afuera. Use un espejo cerca de la boca y verifique si su aliento opaca el espejo, en cuyo caso ¡usted está pronunciando la "h" correctamente!

Clase P

Practique la pronunciación de las palabras que constan en esta lección poniendo el acento en la sílaba apropiada.

feel
do
handsome
sister
brother
aunt
nephew

3 Notas

Lección

3

3
Notas

Vocabulario 3

Le recomendamos que lea las palabras del vocabulario antes de ver el video correspondiente a esta lección. Éstas son las palabras más importantes de esta lección.

feelings	*sentimientos*
happy	*feliz, contento(a)*
sad	*triste*
angry	*enojado(a)*
hot	*acalorado(a)*
cold	*frío(a)*
hungry	*hambriento(a)*
thirsty	*sediento(a)*
scared	*asustado(a)*
sick	*enfermo(a)*
sleepy	*soñoliento(a)*
tired	*cansado(a)*
nervous	*nervioso(a)*
crazy	*loco(a)*
(to) feel	*sentir (o sentirse)*
(to) remember	*recordar*
(to) think	*creer, pensar*

3 Vocabulario

Más vocabulario

men	*hombres*
women	*mujeres*
children	*niños*
idea	*idea*
school	*escuela*
student	*estudiante*
teacher	*maestro(a), profesor(a)*
way	*manera, forma*
next	*próximo(a)*
tonight	*esta noche*
apple	*manzana*
first	*primero(a)*
second	*segundo(a)*

body language

Se refiere a la postura, los movimientos o los gestos con los que una persona revela sus sentimientos de manera consciente o inconsciente.

— Does Mike's body language show that he's nervous?
— Yes. His face is tense and his fists are tight.

— *¿La postura de Mike indica que está nervioso?*
— *Sí. Tiene la cara tensa y los puños apretados.*

Aprenda y practique

Le recomendamos que aprenda las expresiones y oraciones que se incluyen en esta sección. Practique usando lo aprendido cada día.

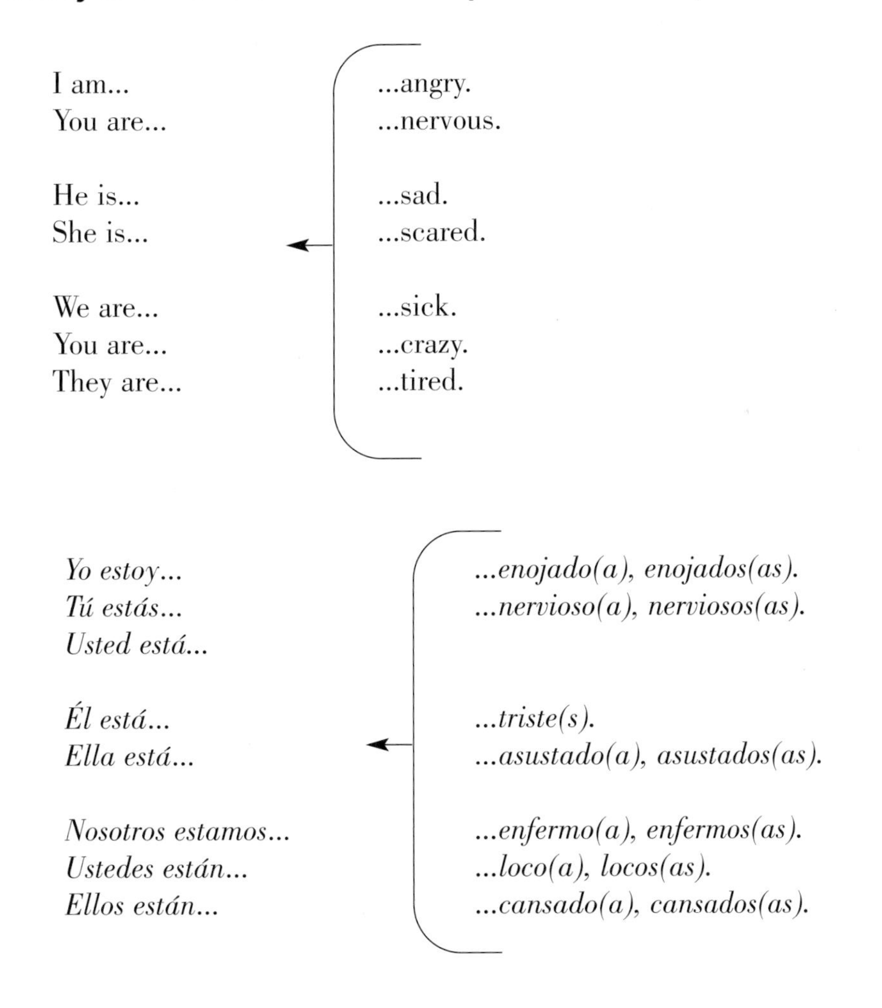

3 Vocabulario

I am not...
You are not...

He is not...
She is not...

We are not...
You are not...
They are not...

...angry.
...nervous.

...sad.
...scared.

...sick.
...crazy.
...tired.

Yo no estoy...
Tú no estás...
Usted no está...

Él no está...
Ella no está...

Nosotros no estamos...
Ustedes no están...
Ellos no están...

...enojado(a), enojados(as).
...nervioso(a), nerviosos(as).

...triste(s).
...asustado(a), asustados(as).

...enfermo(a), enfermos(as).
...loco(a), locos(as).
...cansado(a), cansados(as).

Mire su novela favorita, película o un programa de noticias y comente acerca de las actitudes o emociones de las personas mientras usa el verbo **be** en oraciones afirmativas o negativas. Ejemplos: **Betty isn't happy.** (Betty no está feliz). **She is sad.** (Ella está triste).

Vocabulario 3

Am I angry?	*¿Estoy enojado(a)?*
Are you nervous?	*¿Estás nervioso(a)?*
	¿Está usted nervioso(a)?
Is he sad?	*¿Está triste?*
Is she scared?	*¿Está asustada?*
Are we sick?	*¿Estamos enfermos(as)?*
Are you crazy?	*¿Están ustedes locos(as)?*
Are they tired?	*¿Están cansados(as)?*

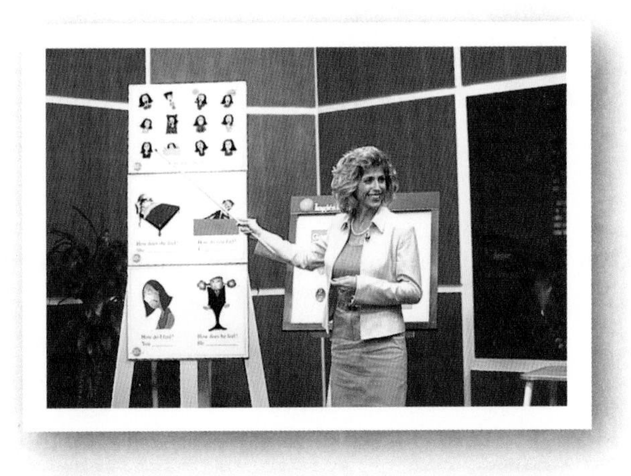

3 Clase

Apuntes

Palabras en plural

Normalmente, se forma el plural añadiendo una "s" al final de las palabras.

boy	*niño*
boys	*niños*
girl	*niña*
girls	*niñas*

Sin embargo, en ciertos casos, las palabras cambian totalmente en plural.

person	*persona*
people	*personas, gente*
man	*hombre*
men	*hombres*
woman	*mujer*
women	*mujeres*
child	*niño*
children	*niños*

formación del plural, pg. 13

Más palabras para describir a las personas

Las palabras siguientes se usan a menudo para describir a las personas. Estas palabras se llaman adjetivos.

bored	*aburrido(a)*
busy	*ocupado(a)*
lazy	*perezoso(a), vago(a)*
single	*soltero(a)*
divorced	*divorciado(a)*
married	*casado(a)*
nice	*bueno(a)*
rich	*rico(a)*
poor	*pobre(a)*
friendly	*amistoso(a), amable*
excited	*emocionado(a)*

Estas palabras se usan en el mismo tipo de oración que las palabras que han aprendido en lecciones anteriores.

They are friendly.	*Ellos son amables.*
She isn't busy.	*Ella no está ocupada.*
Is he married?	*¿Está casado?*

in the doghouse

Se traduce literalmente como "estar en la caseta del perro" y significa estar castigado, estar en la lista negra.

— Why is your husband in the doghouse?
— Because he forgot our wedding anniversary.

— *¿Por qué está tu esposo en la caseta del perro?*
— *Porque se olvidó de nuestro aniversario de bodas.*

adjetivos, pg. 25

3 Clase

Palabras de significado contrario (antónimos)

young/old	*joven/viejo(a)*
hot/cold	*caliente/frío(a)*
happy/sad	*feliz/triste*
rich/poor	*rico(a)/pobre*
mean/nice	*malo(a)/bueno(a)*
excited/bored	*emocionado(a)/aburrido(a)*
single/married	*soltero(a)/casado(a)*

Las palabras **single**, soltero(a) y **married**, casado(a) se consideran a menudo palabras de significado contrario.

Are you married?	*¿Está usted casado?*
No, I'm single.	*No, soy soltero.*

Éste es el texto completo del diálogo incluido en el video. Usted hará el papel del espectador (**viewer**). Si le hacen una pregunta personal, conteste usando información personal. Tenga en cuenta que las respuestas del espectador que le proporcionamos no son las únicas respuestas correctas.

Kathy se queda en casa

Dan — Good morning.
Buenos días.

Viewer *(Usted)* — Good morning.
Buenos días.

Dan — I feel great today. How about you?
Hoy me siento estupendamente. ¿Y usted?

Viewer *(Usted)* — I feel great, too.
Yo también me siento estupendamente.

Kathy — Good morning, Dad.
Buenos días, papá.

Dan — Good morning, Kathy. Are you hungry?
Buenos días, Kathy. ¿Tienes hambre?

Kathy — No, I'm not. But I'm thirsty.
No. Pero tengo sed.

3 Diálogo

Dan	Are you tired? *¿Estás cansada?*
Kathy	A little. *Un poco.*
Dan	How do you feel? *¿Cómo te sientes?*
Kathy	I feel sick. Me siento mal.
Dan	Oh. Do you feel hot? *Oh. ¿Tienes fiebre?*
Kathy	Yes, I do. *Sí.*
Dan	Yes, you are hot. No school today. *Sí, tienes fiebre. Hoy no vas a la escuela.*
Kathy	Thanks, Dad. *Gracias, papá.*

Lección
4

4 Notas

Vocabulario 4

Le recomendamos que lea las palabras del vocabulario antes de ver el video correspondiente a esta lección. Éstas son las palabras más importantes de esta lección.

(to) complete	*completar, rellenar, llenar*
simple	*simple*
verb	*verbo*
volunteer	*voluntario*

Más vocabulario

baby	*bebé*
infant	*bebé*
teenager	*adolescente*
lady	*dama, señora*
gentleman	*caballero, señor*
guy	*hombre, tipo*

Elementos esenciales

Esta sección destaca los elementos básicos de la lección. Lea detenidamente lo que incluimos en ella.

don't = do not
doesn't = does not

4 Vocabulario

Aprenda y practique

Le recomendamos que aprenda las expresiones y oraciones que se incluyen en esta sección. Practique usando lo aprendido cada día.

I feel	*yo me siento*
you feel	*tú te sientes*
	usted se siente
he feels	*él se siente*
she feels	*ella se siente*
it feels	*ello se siente*
we feel	*nosotros nos sentimos*
you feel	*ustedes se sienten*
they feel	*ellos se sienten*

I do	I don't
you do	you don't
he does	he doesn't
she does	she doesn't
it does	it doesn't
we do	we don't
you do	you don't
they do	they don't

Apuntes

"How do you feel?" " How are you?"

Generalmente, la respuesta más adecuada a la pregunta **How are you?** (¿Cómo estás?, ¿Cómo está usted?) es una respuesta corta tal como **fine** (bien). Si un amigo o un familiar pregunta: **How do you feel?** (¿Cómo te sientes?), es mejor dar una respuesta más específica.

Más palabras que sirven para describir a las personas

En situaciones formales, es preferible usar las palabras **lady** (señora, dama) y **gentleman** (señor, caballero) en vez de **woman** y **man**.

That lady is my teacher.
Esa señora es mi profesora.
This gentleman is my grandfather.
Este señor es mi abuelo.

También se dicen estas palabras en plural al empezar un discurso:

Ladies and gentlemen, welcome to our school.
Damas y caballeros, bienvenidos a nuestra escuela.

Se pueden usar otras palabras que dan una idea más precisa de la edad de un niño o niña. Son palabras tales como **baby** o **infant**, si hablamos de un bebé o recién nacido, o **teenager**, es decir adolescente, si hablamos de niños entre 13 y 19 años de edad. Se usa la palabra **child** para referirse al hijo o hija de una persona o para referirse a un niño o niña.

My child is tall.	*Mi hijo es alto.*
The child has green eyes.	*El niño tiene los ojos verdes.*

4 Clase

La palabra **guy** (tipo) se usa en situaciones informales.

The tall guy has red hair.
El tipo alto es pelirrojo.

En situaciones informales, el plural de **guy**, **guys**, sirve para saludar o dirigirse a un grupo de amigos, ya sean hombres o mujeres.

Hey, guys! Let's go to class!
¡Eh, amigos! ¡Vamos a clase!

Usando "do"

Do significa hacer.

Please do it.	*Hágalo, por favor.*

Do es además un verbo auxiliar.

He doesn't feel happy.	*Él no se siente feliz.*
Does he feel happy?	*¿Es feliz?*

En estas oraciones, la palabra **do** no significa nada. Sólo se coloca en la oración como verbo auxiliar del verbo principal. Cuando se usa la forma negativa de **do** (**don't, doesn't**), o cuando se hace una pregunta con **do** (**do, does**), el verbo principal no cambia.

I feel happy.	*Me siento feliz.*
I don't feel sad.	*Yo no me siento triste.*
Do I feel sad?	*¿Me siento triste?*

verbo auxiliar do, pg. 48

Éste es el texto completo del diálogo incluido en el video. Usted hará el papel del espectador (viewer). Si le hacen una pregunta personal, conteste usando información personal. Tenga en cuenta que las respuestas del espectador que le proporcionamos no son las únicas respuestas correctas.

Volviendo a casa

Amy — Hello, honey.
Hola, mi amor.

Bill — Hi. Welcome home!
Hola. ¡Bienvenida a casa!

Amy — Thanks. How are you?
Gracias. ¿Cómo estás?

Bill — I'm OK. How are you?
Estoy bien. ¿Cómo estás?

Amy — I'm so-so.
Regular.

Bill — Is she angry?
¿Está enojada?

Viewer *(Usted)* — I don't think so.
Creo que no.

4 Diálogo

Bill	Are you angry? *¿Estás enojada?*
Amy	No, I'm not angry. I'm tired. Are you? *No, no estoy enojada. Estoy cansada. ¿Y tú?*
Bill	Yes, a little. Are you hungry? *Sí, un poco. ¿Tienes hambre?*
Amy	Yes, very. Are you? *Sí, mucha. ¿Y tú?*
Bill	Yes, I'm hungry, too. Are you? *Sí, yo también tengo hambre. ¿Y usted?*
<u>**Viewer**</u> *(Usted)*	<u>No, I'm not.</u> *No.*
Bill	Let's go to a restaurant. *Vamos a un restaurante.*
Amy	Terrific! *¡Estupendo!*

Practique el orden correcto de las palabras dentro de una oración. Tome una tira de papel y haga una lista de preguntas tomadas de esta lección. Use una tira de papel para cada pregunta. Corte las palabras de cada pregunta y mézclelas colocándolas en un montón. Trate de poner las palabras en su orden correcto nuevamente.

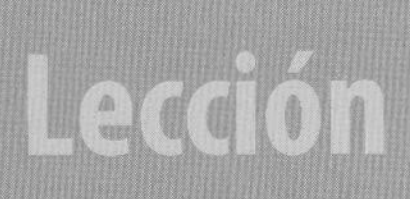

Lección V

Aprendamos viajando

Las Vegas, Nevada is a city full of magical lights, right in the middle of the desert.

It is located in the southern part of Nevada, just across the border from California, Arizona and Utah.

Las Vegas has grown from a small desert railroad stop of 3,500 people in the 1920s to a desert playground of more than one million people.

The center of Las Vegas is designed for tourists. Nearly 30 million tourists visit Las Vegas each year. This is a clean city with many magical places. That looks like the Eiffel Tower. Is that the Arc de Triomphe?

Dress is casual in Las Vegas, but the weather is very seasonal.

Hotels, hotels, hotels. The biggest hotels in the world are in Las Vegas. There are more than 100,000 hotel rooms in the city. Most of the hotels are beautiful with big lobbies. Many of the hotels have "themes"—there's the Venetian Resort Hotel Casino with canals like those in Venice, Italy. New York, New York is a small version of the famous city with skyscrapers and even the Statue of Liberty.

The Golden Nugget was one of the first hotel/casinos in Las Vegas. It opened in 1946 as the biggest and brightest spot in Downtown Las Vegas. The Golden Nugget is also famous because of the very large gold nuggets in the lobby. One weighs more than 61 pounds!

Aprendamos viajando V

Las Vegas, Nevada, es una ciudad llena de luces mágicas, situada en pleno desierto.

Está situada en el sur de Nevada, del otro lado de la frontera con los estados de California, Arizona y Utah.

Las Vegas, que en los años veinte era un pueblecito en el desierto donde paraban los trenes habitado por tres mil quinientas personas, se ha convertido en la ciudad de la diversión y cuenta con una población de más de un millón de habitantes.

El centro de la ciudad se ha diseñado para los turistas. Poco menos de treinta millones de turistas visitan Las Vegas cada año. Ésta es una ciudad limpia con muchos lugares mágicos. Eso se parece a la torre Eiffel. ¿Es ése el Arco de Triunfo?

La gente usa ropa informal en Las Vegas pero el clima es muy variable.

Hoteles, hoteles y más hoteles. Los hoteles más grandes del mundo están en Las Vegas. Hay más de cien mil habitaciones de hotel en la ciudad. La mayoría de los hoteles son hermosos y disponen de vestíbulos amplios. Muchos hoteles se han diseñado en torno a un tema, como por ejemplo, el "Venitian Hotel Resort Casino", que ha construido una réplica de los canales de Venecia, en Italia. New York, New York es una versión reducida de la famosa ciudad, con sus rascacielos y hasta con la Estatua de la Libertad.

El hotel Golden Nugget es uno de los hoteles/casinos más antiguos de Las Vegas. Cuando se inauguró, en 1946, era el lugar más grande y más brillante del centro de Las Vegas. El Golden Nugget es famoso por las enormes pepitas de oro colocadas en el vestíbulo. ¡Una de ellas pesa más de sesenta y una libras!

Gambling was made legal in 1931 and it quickly became the economic engine for Las Vegas. More than $16 billion is spent each year by the tourists and gamblers who visit the city.

Although the clothing of gamblers today is less formal than it was in these old pictures, the games have not changed very much.

Vegas Vic stands on Fremont Street, at one end of Glitter Gulch in downtown Las Vegas. He is 50 feet tall and has hundreds of neon lights. Most of the action in Las Vegas today takes place on the Strip, not Fremont Street.

Beginning in 1955 the hotels on the Las Vegas Strip got more and more elegant and bigger. The Tropicana and Caesar's Palace were two of the first hotels with 1000 rooms. The MGM Grand, now Ballys, was the first hotel to have 2000 rooms. Hotels have continued to get bigger. Some hotels have more than 3000 rooms.

Let's look inside one of the newest hotels, the Bellagio. This hotel has an elegant lobby, 17 restaurants and 3005 guest rooms. It was built to look like Lake Como, a city in the Italian Alps. There is even an 8.5 acre lake.

Las Vegas has become more of a family town. Some hotels feature activities for children. There is an aquarium, dolphins and even white tigers at the Mirage Hotel.

El juego se legalizó en 1931 e impulsó rápidamente la economía de Las Vegas. Los turistas y jugadores que visitan la ciudad gastan más de dieciséis mil billones de dólares al año.

Aunque el atuendo de los jugadores de hoy en día es menos formal que el que muestran estas viejas fotografías, el juego no ha cambiado mucho.

Vegas Vic está situado en Freemont Street, al final de Glitcher Gulch, en el centro de la ciudad. Mide cincuenta pies de altura y tiene cientos de luces de neón. La actividad de Las Vegas está situada en el "Strip", no en "Freemont Street".

A partir de 1955, los hoteles de la calle principal de Las Vegas se hicieron cada vez más grandes y más elegantes. El Tropicana y el Caesar's Palace fueron dos de los primeros hoteles de mil habitaciones. El MGM Grand, cuyo nombre actual es Bally's, fue el primer hotel de dos mil habitaciones. Los hoteles son cada vez más grandes. Algunos hoteles tienen más de tres mil habitaciones.

Entremos en uno de los hoteles de construcción más reciente, el hotel Bellagio. Este hotel tiene un vestíbulo elegante, diecisiete restaurantes y tres mil cinco habitaciones. Se construyó a semejanza del lago Como, una ciudad de los Alpes italianos. Tiene incluso un lago de ocho acres y medio de superficie.

Las Vegas se ha convertido en una ciudad más familiar. Algunos hoteles ofrecen actividades infantiles. El hotel Mirage dispone de un acuario, delfines e incluso tigres blancos.

There are also spectacular shows at some hotels. This is the Treasure Island Hotel and show. Each evening the "pirates" perform. Let's watch the show. Even in Las Vegas everyone cheers for the underdogs!

Let's get out of the city for a day and take a helicopter ride. First, there's a good view of the city of Las Vegas from the air. And lots of deserts and mountain scenes on the way to Lake Mead and Hoover Dam. Lake Mead was formed by Hoover Dam. It has 550 miles of shoreline and is a favorite place for boaters.

Hoover Dam was finished in 1935 to hold back the Colorado River. It is the number one tourist spot in Las Vegas. The cement used in the dam would make a two-lane road from New York to San Francisco!

And here it is. One of the most famous sites in the United States—the Grand Canyon. The canyon is 277 miles long, 10 miles wide and up to one mile deep. The Colorado River formed these beautiful canyons. The Grand Canyon is such a popular tourist site the park has its own airport.

As the sun goes down, the helicopter heads back over the Grand Canyon, Lake Mead and the city of Las Vegas.

Here is one last look at the wonderful nightlife of Las Vegas.

Algunos hoteles presentan espectáculos impresionantes. Éste es el hotel Treasure Island. Los piratas presentan un espectáculo todas las noches. Veamos el espectáculo. ¡Hasta en Las Vegas se aplaude a los más débiles!

Pasemos un día fuera de la ciudad y demos una vuelta en helicóptero. En primer lugar, vemos la ciudad de Las Vegas desde el aire. Y muchos desiertos y montañas de camino al lago Mead y a la presa Hoover. La presa Hoover creó el lago Mead. Tiene quinientas cincuenta millas de costa y es uno de los lugares favoritos de los aficionados a la navegación.

La presa, cuya construcción finalizó en 1935, se edificó para contener el río Colorado. La presa es el lugar turístico más popular de Las Vegas. ¡La cantidad de cemento empleada en la construcción de la presa bastaría para construir una carretera de dos vías de Nueva York a San Francisco!

Y aquí está. Uno de los lugares más famosos de los Estados Unidos: el "Grand Canyon". El cañón tiene doscientas setenta y siete millas de longitud, diez millas de ancho y una milla de profundidad. El río Colorado formó esos hermosos cañones. El "Grand Canyon" es un lugar turístico tan popular que hasta dispone de aeropuerto propio.

Al atardecer, el helicóptero regresa sobrevolando el Grand Canyon, el lago Mead y la ciudad de Las Vegas.

Echemos una última mirada a la maravillosa vida nocturna de Las Vegas.

C Aprendamos cantando

Lección

C

Notas

Clementine

Música y letra
Percy Montross

Clementine es una canción minera del oeste norteamericano que celebra, un poco en broma, a los pioneros que, en 1847, llegaron al norte de California en busca de oro. En esta canción, Clementine es la hija de uno de estos mineros, llamados **Forty-niners** (o sea, "del año cuarenta y nueve"). La historia cuenta como la desafortunada Clementine se ahogó en el mar pero, como no hay mal que por bien no venga, ahora sirve de abono a las flores de la iglesia.

La música y letra de las canciones se encuentran en los videos. Localice en su video la sección titulada "Aprendamos cantando".

Al estudiar esta canción, tome nota de las siguientes palabras:

- **Topses** quiere decir **Tops,** "tapaderas" o "cajas". Es una palabra informal que ayuda a la rima de la canción pero que no se usa en el lenguaje hablado.

- **Dreadful sorry** es una expresión informal. La expresión correcta es **I am dreadfully sorry** y significa "Lo siento muchísimo".

- **Ev'ry** es una forma informal de escribir **Every**, "cada" .
- **'Mongst,** "entre", (en este caso, "entre las flores"). Esta palabra es arcaica. Hoy en día, se usa la palabra **Among** sin añadir **st**.
- También se incluyen contracciones tales como:
  There's=There is, es decir, "Hay".

¡Y ahora, a cantar Clementine!

It breaks my heart.

Se traduce literalmente como "me rompe el corazón". Se puede utilizar para expresar frustración o tristeza por no haber conseguido lo que se deseaba.

— Oh! Our favorite team lost the game.
— Yes, it breaks my heart to see them lose.

— *¡Oh! Nuestro equipo favorito perdió el partido.*
— *Sí, me rompe el corazón verlos perder.*

Clementine

In the cavern in the canyon
Excavating for a mine,
Lived a miner, forty-niner
And his daughter Clementine.

Oh, my darling, oh, my darling,
Oh, my darling Clementine,
You are lost and gone forever.
Dreadful sorry, Clementine.

Light she was and, like a fairy,
And her shoes were number nine,
Herring boxes, without topses
Sandals were for Clementine.

Oh, my darling, oh, my darling,
Oh, my darling Clementine,
You are lost and gone forever.
Dreadful sorry, Clementine.

Drove she ducklings to the water,
Ev'ry morning just at nine.
Stubbed her toe upon a splinter,
Fell into the foaming brine.

Oh, my darling, oh, my darling,
Oh, my darling Clementine,
You are lost and gone forever.
Dreadful sorry, Clementine.

Clementine

En la cueva del cañón
Excavando en busca de una mina,
Vivía un minero del cuarenta y nueve
Y su hija Clementine.

Oh, mi adorable, oh, mi adorable,
Oh, mi adorable Clementine,
Te has perdido e ido para siempre.
Lo siento muchísimo, Clementine.

Liviana era y como una hada,
Y sus zapatos eran talla nueve,
Cajas de arenque sin tapadera
Eran sandalias para Clementine.

Oh, mi adorable, oh, mi adorable,
Oh, mi adorable Clementine,
Te has perdido e ido para siempre.
Lo siento muchísimo, Clementine.

Arriaba los patos hacia el agua,
Cada mañana justo a las nueve.
Tropezó su dedo del pie con una astilla,
Cayó en la espumosa agua del mar.

Oh, mi adorable, oh, mi adorable,
Oh, mi adorable Clementine,
Te has perdido e ido para siempre.
Lo siento muchísimo, Clementine

Aprendamos cantando

There's a churchyard, on the hillside,
Where the flowers grow and twine,
There grow roses 'mongst the posies,
Fertilized by Clementine.

Oh, my darling, oh, my darling,
Oh, my darling Clementine,
You are lost and gone forever.
Dreadful sorry, Clementine.
You are lost and gone forever.
Dreadful sorry, Clementine.

Hay un jardín de iglesia, en la ladera,
Donde las flores crecen y se entrelazan,
Allí crecen rosas entre los ramilletes,
Fertilizados por Clementine.

Oh, mi adorable, oh, mi adorable,
Oh, mi adorable Clementine,
Te has perdido e ido para siempre.
Lo siento muchísimo, Clementine.
Te has perdido e ido para siempre.
Lo siento muchísimo, Clementine.

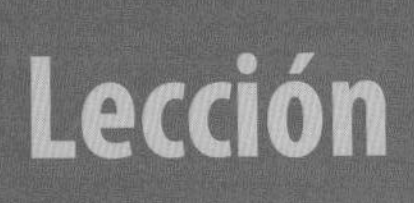

C

Notas

Actividad 1
Is he tall?
Is he short?
Is he fat?
Is he thin?
Is he handsome?
Is he ugly?
Is he young?
Is he old?
Is he middle-aged?
. . . .
Is she rich?
Is she poor?
Is she nice?
Is she friendly?
Is she pretty?
Is she beautiful?
Is she cute?
Is she married?
Is she single?
Is she divorced?
. . . .
Does he have long hair?
Does she have short hair?
Is his hair straight?
Is her hair curly?
Is he bald?
. . . .
Does he have black hair?
Does she have blond hair?
Does he have brown hair?
Is her hair gray?
Is his hair red?
. . . .
Does he have blue eyes?
Does she have brown eyes?
Are his eyes green?
Are her eyes gray?

Actividad 1
¿Es alto?
¿Es bajo?
¿Es gordo?
¿Es delgado?
¿Es guapo?
¿Es feo?
¿Es joven?
¿Es viejo?
¿Es de mediana edad?
. . . .
¿Es rica?
¿Es pobre?
¿Es agradable?
¿Es amable?
¿Es bonita?
¿Es bella?
¿Es linda?
¿Está casada?
¿Es soltera?
¿Está divorciada?
. . . .
¿Tiene el cabello largo?
¿Tiene el cabello corto?
¿Es su cabello liso?
¿Es su cabello rizado?
¿Es calvo?
. . . .
¿Tiene el cabello negro?
¿Tiene el cabello rubio?
¿Tiene el cabello castaño?
¿Es gris su cabello?
¿Es pelirrojo?
. . . .
¿Tiene los ojos azules?
¿Tiene los ojos marrones?
¿Son sus ojos verdes?
¿Son sus ojos grises?

C Aprendamos conversando

Actividad 2
I'm happy.
I'm sad.
I'm angry.
I'm hot.
I'm cold.
I'm hungry.
I'm thirsty.
I'm scared.
I'm sick.
I'm sleepy.
I'm tired.
I'm nervous.
I'm crazy!
I'm excited!

Actividad 3
1. sad
2. happy
3. tired
4. angry
5. scared
6. thirsty

Actividad 4

1. tall	short
2. fat	thin
3. handsome	ugly
4. young	old
5. long	short
6. hot	cold
7. sad	happy
8. rich	poor
9. married	single

Actividad 2
Soy feliz.
Estoy triste.
Estoy enojado(a).
Tengo calor.
Tengo frío.
Tengo hambre.
Tengo sed.
Estoy asustado(a).
Estoy enfermo(a).
Tengo sueño.
Estoy cansado(a).
Estoy nervioso(a).
¡Estoy loco(a)!
¡Estoy emocionado(a)!

Actividad 3
1. *triste*
2. *feliz*
3. *cansado(a)*
4. *enojado(a)*
5. *asustado(a)*
6. *sediento(a)*

Actividad 4

1. *alto(a)*	*bajo(a)*
2. *gordo(a)*	*delgado(a)*
3. *guapo(a)*	*feo(a)*
4. *joven*	*viejo(a)*
5. *largo(a)*	*corto(a)*
6. *calor*	*frío*
7. *triste*	*feliz*
8. *rico(a)*	*pobre*
9. *casado(a)*	*soltero(a)*

She isn't tall. She's short.	*Ella no es alta. Ella es baja.*
He isn't fat. He's thin.	*Él no es gordo. Él es delgado.*
She's pretty. She isn't ugly.	*Ella es bonita. Ella no es fea.*
He isn't young. He's old.	*Él no es joven. Él es viejo.*
I'm hot. I'm not cold.	*Tengo calor. No tengo frío.*
I'm not sad. I'm happy.	*No estoy triste. Soy feliz.*
He isn't rich. He's poor.	*Él no es rico. Él es pobre.*
I'm not married. I'm single.	*No estoy casado. Estoy soltero.*

Actividad 5

Diálogo 1 (ver página 14)

1. Is it Jack's birthday?	Yes, it is.	*1. ¿Es el cumpleaños de Jack?*	*Sí.*
2. Is Jack Bill's son?	No, he isn't.	*2. ¿Es Jack el hijo de Bill?*	*No.*
3. Is he Bill's friend?	No, he isn't.	*3. ¿Es amigo de Bill?*	*No.*
4. Is he Bill's nephew?	Yes, he is.	*4. ¿Es el sobrino de Bill?*	*Sí.*
5. Is Bill Jack's uncle?	Yes, he is.	*5. ¿Es Bill el tío de Jack?*	*Sí.*
6. Is Jack's hair brown?	No, it isn't.	*6. ¿Es el cabello de Jack castaño?*	*No.*
7. Is his hair blond?	Yes, it is.	*7. ¿Es su cabello rubio?*	*Sí.*
8. Is Jack cute?	Yes, he is.	*8. ¿Es Jack lindo?*	*Sí.*

Diálogo 2 (ver página 26)

1. Is Robert young?	Yes, he is.	*1. ¿Es Robert joven?*	*Sí.*
2. Is Robert bald?	No, he isn't.	*2. ¿Es Robert calvo?*	*No.*
3. Does he have brown hair?	Yes, he does.	*3. ¿Tiene el cabello castaño?*	*Sí.*
4. Does he have blue eyes?	No, he doesn't.	*4. ¿Tiene los ojos azules?*	*No.*
5. Is he Tom's son?	No, he isn't.	*5. ¿Es el hijo de Tom?*	*No.*
6. Is he Ann's son?	Yes, he is.	*6. ¿Es el hijo de Ann?*	*Sí.*

Diálogo 3 (ver página 44)

1. Is Kathy Dan's daughter?	Yes, she is.	*1. ¿Es Kathy la hija de Dan?*	*Sí.*
2. Is she hungry?	No, she isn't.	*2. ¿Tiene hambre?*	*No.*
3. Is she thirsty?	Yes, she is.	*3. ¿Tiene sed?*	*Sí.*
4. Does she feel sick?	Yes, she does.	*4. ¿Se siente mal?*	*Sí.*
5. Does she feel cold?	No, she doesn't.	*5. ¿Tiene frío?*	*No.*

C

Aprendamos conversando

Diálogo 4	(ver página 53)
1. Is Amy angry?	No, she isn't.
2. Is Bill angry?	No, he isn't.
3. Are they tired?	Yes, they are.
4. Are they hungry?	Yes, they are.
5. Are they angry?	No, they aren't.

Diálogo 4	
1. ¿Está enojada Amy?	*No.*
2. ¿Está enojado Bill?	*No.*
3. ¿Están cansados?	*Sí.*
4. ¿Tienen hambre?	*Sí.*
5. ¿Están enojados?	*No.*

Actividad 6

1. He is very happy.
2. He isn't very happy.
3. They aren't married.
4. They are married.
5. My brothers are tall.
6. My brothers aren't tall.
7. She is very busy.
8. She isn't very busy.

Actividad 6

1. *Él es muy feliz.*
2. *Él no es muy feliz.*
3. *Ellos no están casados.*
4. *Ellos están casados.*
5. *Mis hermanos son altos.*
6. *Mis hermanos no son altos.*
7. *Ella está muy ocupada.*
8. *Ella no está muy ocupada.*

Actividad 7

infant	infants
baby	babies
toddler	toddlers
child	children
kid	kids
boy	boys
girl	girls
teenager	teenagers
adult	adults
man	men
gentleman	gentlemen
guy	guys
woman	women
lady	ladies
gal	gals
senior	seniors

Actividad 7

bebé	*bebés*
bebé	*bebés*
niño pequeño	*niños pequeños*
niño,	*niños*
niño	*niños*
chico, niño	*chicos, niños*
chica, niña	*chicas, niñas*
adolescente	*adolescentes*
adulto	*adultos*
hombre	*hombres*
caballero, señor	*caballeros, señores*
tipo/hombre	*tipos/hombres*
mujer	*mujeres*
dama, señora	*damas, señoras*
señora	*señoras*
persona mayor	*personas mayores*

Aprendamos conversando C

Actividad 8

1. boys "z"
2. girls "z"
3. adults "s"
4. teenagers "z"
5. guys "z"
6. seniors "z"
7. infants "s"
8. kids "z"
9. babies "z"
10. ladies "z"

Actividad 8

1. *chicos, niños*
2. *chicas, niñas*
3. *adultos*
4. *adolescentes*
5. *tipos*
6. *personas mayores*
7. *bebés*
8. *niños*
9. *bebés*
10. *damas, señoras*

Actividad 9 (ver página 67)

darling
Good morning.
How are you doing?
How is it going?
What's happening?
What's going on?
It was nice talking to you.
He is a nice-looking man.

Actividad 9

querido(a), cariño
Buenos días.
¿Cómo te va?
¿Qué tal?
¿Qué hay de nuevo?
¿Qué pasa?
Fue un placer hablar con usted.
Él es un hombre atractivo.

Actividad 10

I'm sorry.
I'm so sorry.
I'm really sorry.
I'm very sorry.
I'm terribly sorry.
Please forgive me.
I apologize.
. . . .
Don't worry about it.
It's OK.
No problem.
It's nothing.
Forget it.
Forget about it.

Actividad 10

Lo siento.
Lo siento mucho.
Lo siento muchísimo.
Lo siento mucho.
Lo siento muchísimo.
Por favor, perdóneme.
Discúlpeme.
. . . .
No se preocupe.
Está bien.
No hay problema.
No es nada.
No importa.
Olvidémoslo.

C Aprendamos conversando

Actividad 11
Operator: Hello, friends! This is the Free Community Phone Line for single men and women. To meet a man, press one. To meet a woman, press two.

Jeremy: Hi, I'm Jeremy. I'm very tall, and I have blond hair and green eyes. I'm a very happy guy! Are you a happy woman? Are you tall and thin? Then you're the woman for me! Oh, I'm really handsome, too. Please leave a message!

Alison: Hello, Jeremy. My name is Alison. I'm short and fat—and a little bald. I'm not very happy. But I'm friendly—and I'm very excited to meet you! Nervous, but excited. Maybe I'm crazy, but Jeremy, I'm a very nice person. And maybe a very good wife for you! Leave a message. Please!

Jeremy: Thanks for your message, Alison. This is Jeremy. I'm crazy, too, my darling. I'm not tall and I'm not thin. I'm really short and fat. And I'm not really handsome. But I think I love you! Please marry me!

Actividad 11
Operador: ¡Hola, amigos! Ésta es la línea telefónica de la comunidad libre para solteros. Si desea conocer a un hombre, oprima el número uno. Si desea conocer a una mujer, oprima el número dos.

Jeremy: Hola, soy Jeremy. Soy muy alto, tengo el cabello rubio y los ojos verdes. ¡Soy un tipo muy feliz! ¿Es usted una mujer feliz? ¿Es usted alta y delgada? Entonces, ¡usted es la mujer para mí! Oh, también soy un hombre muy guapo. Por favor déjeme un mensaje.

Alison: Hola Jeremy. Mi nombre es Alison. Soy baja y gorda y un poco calva. No soy muy feliz. Pero soy amable—¡Estoy muy ansiosa por conocerlo! Nerviosa pero emocionada. A lo mejor estoy loca pero Jeremy, soy una persona muy agradable. ¡Y tal vez sea una buena esposa para usted! Por favor, déjeme un mensaje.

Jeremy: Gracias por su mensaje, Alison. Soy Jeremy. Querida, yo también estoy loco. No soy ni alto ni delgado. Soy bajo y gordo. Y no soy muy guapo. ¡Pero creo que la quiero! ¡Por favor, cásese conmigo!

Inglés Inglés Inglés Inglés Inglés
as sin Barreras sin Barreras sin Barreras sin Barre rre

glés Inglés Inglés Inglés Inglés Inglés I
Barreras sin Barreras sin Barreras sin Barreras sin Barreras sin Barreras sin

Inglés Inglés Inglés Inglés Inglés Inglés
as sin Barreras sin Barreras sin Barreras sin Barreras sin Barreras sin Barre

glés Inglés Inglés Inglés Inglés Inglés I
Barreras sin Barreras sin Barreras sin Barreras sin Barreras sin Barreras sin

Inglés Inglés Inglés Inglés Inglés Inglés
as sin Barreras sin Barreras sin Barreras sin Barreras sin Barreras sin Barre

glés Inglés Inglés Inglés Inglés Inglés I
Barreras sin Barreras sin Barreras sin Barreras sin Barreras sin Barreras sin

Inglés Inglés Inglés Inglés Inglés Inglés
as sin Barreras sin Barreras sin Barreras sin Barreras sin Barreras sin Barre

glés Inglés Inglés Inglés Inglés Inglés I
Barreras sin Barreras sin Barreras sin Barreras sin Barreras sin Barreras sin

Inglés Inglés Inglés Inglés Inglés Inglés
as sin Barreras sin Barreras sin Barreras sin Barreras sin Barreras sin Barre

glés Inglés Inglés Inglés Inglés Inglés I
Barreras sin Barreras sin Barreras sin Barreras sin Barreras sin Barreras sin

Inglés Inglés Inglés Inglés Inglés Inglés
as sin Barreras sin Barreras sin Barreras sin Barreras sin Barreras sin Barre

glés Inglés Inglés Inglés Inglés Inglés I
Barreras sin Barreras sin Barreras sin Barreras sin Barreras sin Barreras sin

Inglés Inglés Inglés Inglés Inglés Inglés
as sin Barreras sin Barreras sin Barreras sin Barreras sin Barreras sin Barre

glés Inglés Inglés Inglés Inglés Inglés I
Barreras sin Barreras sin Barreras sin Barreras sin Barreras sin Barreras sin

Inglés Inglés Inglés Inglés Inglés Inglés
as sin Barreras sin Barreras sin Barreras sin Barreras sin Barreras sin Barre

glés Inglés Inglés Inglés Inglés Inglés I
Barreras sin Barreras sin Barreras sin Barreras sin Barreras sin Barreras sin

Inglés Inglés Inglés Inglés Inglés Inglés
as sin Barreras sin Barreras sin Barreras sin Barreras sin Barreras sin Barre

9 El trabajo

Manual

ISBN: 1-59172-301-9
ISBN: 978-1-59172-301-1

I705VM09

Dedicatoria

Dedicamos este curso a todos los hispanos que tomaron la iniciativa de traer el idioma inglés a sus vidas para expandir sus horizontes. Los sueños pueden convertirse en realidad. Con gran respeto y afecto,

Sus amigos de Inglés sin Barreras

Metodología	Center for Applied Linguistics
Texto	Karen Peratt, Cristina Ribeiro Center for Applied Linguistics International Media Access Inc.
Ilustraciones	Gabriela Cabrera, Linda Beckerman
Diseño gráfico	Magnus Ekelund, Efrain Barrera, bluefisch design
Guión adaptado - inglés	Karen Peratt
Guión adaptado - español	Cristina Ribeiro
Edición	Betsabé Mazzolotti, Horacio Gosparini, Yuri Murúa, Damián Quevedo, Mike Ramirez
Aprendamos viajando	Marcos Said, Pablo Moreno, Alfredo León
Aprendamos conversando	Howard Beckerman Producción: Heartworks International, Inc.
Música	Erich Bulling
Fotografía	Alejandro Toro, Alfredo León
Producción en línea	Miguel Rueda
Dirección - video	Loretta G. Seyer, Patricio Stark
Coordinación de proyecto	Juliet Flores, Cristina Ribeiro
Dirección de proyecto	Karen Peratt, Arleen Nakama
Directora ejecutiva	Valeria Rico
Productor ejecutivo y director creativo	José Luis Nazar

El trabajo

Índice

1 Notas

Lección

1

1 Notas

Vocabulario 1

Le recomendamos que lea las palabras del vocabulario antes de ver el video correspondiente a esta lección. Éstas son las palabras más importantes de esta lección.

job	*trabajo, puesto de trabajo*
	empleo
career	*carrera*
employee	*empleado(a)*
employer	*patrón, empresario(a)*
work	*trabajo, oficio*
company	*compañía*
manager	*gerente*
boss	*jefe*
accountant	*contable, contador*
architect	*arquitecto*
baby-sitter	*niñera*
bank teller	*cajero(a) (en un banco)*
cashier	*cajero(a)*
construction worker	*obrero, albañil*
engineer	*ingeniero*
maintenance man	*empleado de mantenimiento*
musician	*músico*
office manager	*gerente de oficina*
secretary	*secretaria*
taxi driver	*conductor de taxi, taxista*
waiter	*mesero, camarero*
waitress	*mesera, camarera*
millionaire	*millonario(a)*

1 Vocabulario

Más vocabulario

airport	*aeropuerto*
computer	*computadora*
normal	*normal*
(to) own	*ser propietario(a), ser dueño(a) de*
owner	*propietario(a), dueño(a)*
tools	*herramientas*
future	*futuro*
preferences	*preferencias*
topic	*tema*
together	*juntos, juntas*
(to) work hard	*trabajar mucho, con empeño*
(to) set goals	*fijar o marcar objetivos o metas*
(to) build	*construir*
(to) clean	*limpiar*
(to) design	*diseñar*
(to) type	*escribir a máquina, mecanografiar*
exhausted	*agotado(a)*

Elementos esenciales

Esta sección destaca los elementos básicos de esta lección. Lea detenidamente lo que incluimos en ella.

I'd	=	I would	I wouldn't	=	I would not
you'd	=	you would	you wouldn't	=	you would not
he'd	=	he would	he wouldn't	=	he would not
she'd	=	she would	she wouldn't	=	she would not
we'd	=	we would	we wouldn't	=	we would not
they'd	=	they would	they wouldn't	=	they would not

"Would like to"

Would you like to be a teacher?
¿Le gustaría ser maestro?

What would you like to do?
¿Qué le gustaría hacer?

workaholic

Esta expresión se refiere a las personas que trabajan todo el tiempo.

— Lydia, where is your husband?
— Oh, I'm sure he's at the office. You know Adrian is a workaholic.

— *Lydia, ¿dónde está tu marido?*
— *Oh, estoy segura de que está en la oficina. Sabes que Adrián vive para trabajar.*

verbo auxiliar **would**, pg. 56

1 Vocabulario

Aprenda y practique

Le recomendamos que aprenda las expresiones y oraciones que se incluyen en esta lección. Practique usando lo aprendido cada día.

What does he do for a living?
¿A qué se dedica él?

He's an accountant.
Él es contador.

What does she do?
¿En qué trabaja ella?

She's a nurse.
Ella es enfermera.

Where do they work?
¿Dónde trabajan ellos?

They work at a bank.
Ellos trabajan en un banco.

What kind of job do you want?
¿Qué tipo de trabajo quiere usted?

I'd like to be a teacher.
Me gustaría ser maestro.

What would you like to do in the future?
¿Qué le gustaría hacer en el futuro?

I'd like to be a doctor.
Me gustaría ser doctor.

Would you like to be a teacher?
Yes, I would. / No, I wouldn't.
I'd like to be a musician.

¿Le gustaría ser maestro?
Sí. / No.
Me gustaría ser músico.

I'm a taxi driver. I drive a taxi.
Yo soy conductor de taxi. Yo manejo un taxi.

I'm a waitress. I work in a restaurant.
Yo soy mesera. Yo trabajo en un restaurante.

I'm a maintenance man. I fix things.
Yo soy empleado de mantenimiento. Yo arreglo cosas.

Apuntes

"What do you do?"

Se pueden hacer varias preguntas para saber cuál es la profesión de una persona.

What do you do?
¿En qué trabaja usted?

What do you do for a living?
¿A qué se dedica usted?

Puede contestar a estas preguntas diciendo cuál es su trabajo.

I'm a waiter.
Soy mesero.

I'm a cashier.
Soy cajero.

También puede contestar diciendo dónde trabaja.

I work in a bank.
Trabajo en un banco.

I work at the airport.
Trabajo en el aeropuerto.

Preste atención a la pregunta siguiente.

Where do you work?
¿Dónde trabaja usted?

No se deje confundir por la palabra **where** (dónde). Puede contestar a esta pregunta diciendo no sólo el lugar donde trabaja sino también su profesión.

I'm a waiter.
Soy mesero.

I work in a bookstore.
Trabajo en una librería.

¡Me gusta mi trabajo!

Las personas hablan con frecuencia de su profesión, de lo que les gusta y no les gusta hacer en el trabajo.

I'm a cashier. I like talking to people.
Soy cajero. Me gusta hablar con la gente.

I'm a secretary. I don't like to type.
Soy secretaria. No me gusta escribir a máquina.

Es aconsejable dar ciertos detalles relacionados con el puesto de trabajo.

I'm an office manager.
Soy gerente de oficina.

I manage five secretaries.
Superviso a cinco secretarias.

I also answer phones and type.
También contesto el teléfono y escribo a máquina.

A menos que esté hablando con un amigo o familiar, no es aconsejable hablar de ciertas temas, como por ejemplo, el sueldo.

Un trabajo o una carrera

Una carrera profesional implica trabajar en varios lugares y cumplir múltiples objetivos académicos. Una carrera debe considerarse una meta a largo plazo. Es necesario establecer objetivos claros y crear un plan para cumplir dichos objetivos en un periodo de tiempo determinado.

I'm a construction worker. I'd like to be an architect.
Soy obrero de la construcción. Me gustaría ser arquitecto.

I'm studying in the night school program.
Estoy estudiando en el programa nocturno de la escuela.

Cuando hablamos de lo que nos gustaría hacer en el futuro, no nos referimos siempre a un puesto de trabajo específico. A veces, mencionamos un sector de actividad más amplio. Tal vez nos interese el marketing o la venta.

I'm a teacher but I would like to work as a marketing manager
in a large company. I'm taking marketing classes now.
Soy maestro pero me gustaría ser gerente de marketing
en una compañía grande. Estoy tomando clases de marketing.

1 Clase

El jefe

Toda persona que trabaje para una compañía o para otra persona es un empleado. Un jefe tiene uno o más empleados a su cargo. Puede que el jefe no sea el dueño del negocio o de la compañía. ¡Las compañías grandes tienen muchos jefes!

Hay varios niveles de gerencia en una compañía.

president	*presidente*
vice-president	*vicepresidente*
director	*director*
manager	*gerente*
assistant manager	*subgerente*
supervisor	*supervisor*

Las compañías pueden usar otras palabras para indicar un mismo nivel de gerencia.

Cómo usar "would"

Al hablar de lo que queremos hacer en el futuro, usamos el modelo de oración que comienza con **I would like to** en vez de **I want to**. **I would like to** es más cortés que **I want to**.

I would like to be an architect.
Me gustaría ser arquitecto.

I'm tired. I would like to go home.
Estoy cansado. Me gustaría irme a casa.

"What would you like to do?"

Al preguntar **What would you like to do?,** se puede obtener información relacionada con toda clase de actividades. Si le hacen esta pregunta, debe hacer una sugerencia o contestar **I don't know** (no lo sé).

What would you like to do?	*¿Qué le gustaría hacer?*
I'd like to see a movie.	*Me gustaría ver una película.*
What would you like to do?	¿Qué le gustaría hacer?
I'd like to be a teacher.	*Me gustaría ser maestro.*
What would you like to do?	*¿Qué le gustaría hacer?*
I don't know.	*No lo sé.*

Para preguntar por una actividad específica, utilice **Would you like to...?** La respuesta a este tipo de pregunta comienza generalmente con **yes** o **no**.

Would you like to go to the beach?	*¿Te gustaría ir a la playa?*
Yes, I would. That sounds like fun.	*Sí. Parece divertido.*

Si la pregunta le da opciones, elija una o sugiera otra cosa.

- Would you like to go to an Italian restaurant or a Chinese restaurant?
  ¿Te gustaría ir a un restaurante italiano o a un restaurante chino?
- An Italian restaurant, I think.
  Creo que a un restaurante italiano.
- Hmmm, how about a Mexican restaurant?
  Mmmm, ¿y un restaurante mexicano?

verbo auxiliar **would**, pg. 56

Would like to también se usa con palabras tales como **where, what time** y **when**.

- Where would you like to meet?
  ¿Dónde quieres que nos veamos?
- Let's meet at the supermarket.
  Veámonos en el supermercado.

- When would you like to meet?
  ¿Cuándo quieres que nos veamos?
- Thursday, I think.
  Creo que el jueves.

- What time would you like to eat lunch?
  ¿A qué hora quieres almorzar?
- At noon.
  A mediodía.

Invite a un amigo/a a conversar y practicar inglés en un café o restaurante. Empiece por preguntarle: **Where would you like to meet?** (¿Dónde te gustaría ir?) **What time would it be good for you?** (¿A qué hora nos podemos encontrar que sea buena para ti?).

Diálogo 1

Éste es el texto completo del diálogo incluido en el video. Usted hará el papel del espectador **(viewer).** Si le hacen una pregunta personal, conteste usando información personal. Tenga en cuenta que las respuestas del espectador que le proporcionamos no son las únicas respuestas correctas.

Una conversación entre amigos

Dan — Hi, Ann. This is a surprise. How's it going?
Hola, Ann. ¡Qué sorpresa! ¿Qué tal?

Ann — Fine, thank you. This is my friend, Amy. She lives here.
Bien, gracias. Ésta es mi amiga Amy. Ella vive aquí.

Dan — Yes, I know Amy. I'm her new neighbor.
Sí, conozco a Amy. Soy su nuevo vecino.

Amy — How are you doing, Dan?
¿Cómo te va, Dan?

Dan — I'm all right.
Estoy bien.

Ann — You look tired.
Pareces cansado.

Dan — I am. I had to work late last night, and I had an early meeting this morning.
Lo estoy. Tuve que trabajar hasta tarde anoche y tuve una reunión esta mañana temprano.

Viewer	That's too bad.
(Usted)	*Es una lástima.*
Amy	What do you do for a living, Dan?
	¿A qué te dedicas, Dan?
Dan	I manage a store around the corner.
	It's a good job but I have to travel a lot.
	I have to be away from my daughter. I don't like that.
	Soy gerente en una tienda que está a la vuelta de la esquina.
	Es un buen trabajo pero tengo que viajar mucho.
	Tengo que separarme de mi hija. Y eso no me gusta.
Amy	I know what you mean. I'm a corporate recruiter, and every week, I have to travel somewhere in the United
States.	
	I'd like to stay home more.
	Te comprendo. Me dedico a la contratación de personal en una corporación y tengo que viajar a algún lugar de los Estados Unidos cada semana.
	Me gustaría pasar más tiempo en casa.
Ann	What would you like to do, Dan?
	¿Qué te gustaría hacer, Dan?
Dan	I'd like to be a teacher.
	I'd like to teach mathematics and science.
	Me gustaría ser maestro.
	Me gustaría enseñar matemáticas y ciencia.

Ann
And you, Amy? What would you like to do?
¿Y a ti, Amy, qué te gustaría hacer?

Amy
I'd like to own a restaurant. I would like to have one of the best restaurants in the city.
Me gustaría ser dueña de un restaurante. Me gustaría tener uno de los mejores restaurantes de la ciudad.

Dan
What about you, Ann?
What would you like to do in the future?
¿Y a ti, Ann?
¿Qué te gustaría hacer en el futuro?

Ann
Oh, I don't know. I'm a pharmacist now, and I like my job a lot.
Oh, no sé. Ahora soy farmacéutica y me gusta mucho mi trabajo.

Dan
What would you like to do?
¿Qué le gustaría hacer a usted?

Viewer
(Usted)
I'd like to ____________________.
Me gustaría____________________.

Dan
That sounds interesting.
Parece interesante.

Ann
Well. We have to go.
Bueno. Tenemos que irnos.

Amy
Bye, Dan. We'll see you later.
Adiós, Dan. Hasta luego.

Dan
Yes. Let's get together soon.
Sí. Espero que nos veamos pronto.

2 Notas

Lección
2

2 Notas

Le recomendamos que lea las palabras del vocabulario antes de ver el video correspondiente a esta lección. Éstas son las palabras más importantes de esta lección.

announcement	*anuncio*
financial aid	*ayuda financiera*
(to) apply	*solicitar*
classified ads	*anuncios*
salary	*salario, sueldo*
(job) benefits	*beneficios*
disability insurance	*seguro de incapacidad laboral*
health insurance	*seguro médico*
life insurance	*seguro de vida*
paid vacation	*vacaciones pagadas*
retirement benefits	*beneficios de jubilación*
sick leave	*días por enfermedad*
personal days	*días personales*
part-time job	*puesto de trabajo de media jornada*
full-time job	*puesto de trabajo a tiempo completo*

Más vocabulario

qualification	*requisitos, título*
license	*licencia, permiso*
(to) train	*entrenar, formar, capacitar*
(to) organize	*organizar*
(to) connect	*unir, relacionar*
(to) match	*estar a la altura de*
(to) fill out	*llenar, completar*
meeting	*reunión, cita*
out loud	*en voz alta*
sign	*señal*

a play on words

un juego de palabras

— Is the name of the company "From the Hart?"
Shouldn't it be "From the Heart?"
— No, the owner's name is Fred Hart. It's a play on words.

— *¿El nombre de la compañía es "From the Hart"?*
¿No debería ser "From the Heart"?
— *No. El nombre del dueño es Fred Hart. Es un juego de palabras.*

Elementos esenciales

Esta sección destaca los elementos básicos de esta lección. Lea detenidamente lo que incluimos en ella.

FT or F/T = full time	*a tiempo completo*
PT or P/T = part time	*de media jornada*
req'd. = required	*obligatorio(a)*
exper. = experience	*experiencia*
biling. = bilingual	*bilingüe*
pref. = preferred	*de preferencia pero no es obligatorio*
yrs. = years	*años*
org. skills = organizational skills	*habilidades o aptitudes organizativas*
HS/GED = high school diploma or General Equivalency Degree	*Diploma de enseñanza secundaria o título general equivalente*
lic. or lic'd. = license required	*licencia obligatoria*
$/hr. = salary per hour	*sueldo por hora*
$/wk. = salary per week	*sueldo semanal*
$1K/yr. = one thousand dollars per year	*mil dólares al año*
flex. = flexible	*flexible*

Lea los anuncios del periódico en inglés. ¿Puede usted entender todas las abreviaturas? ¿Ve usted algún trabajo interesante?

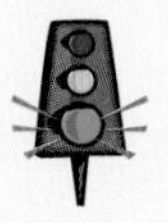

2 Vocabulario

Aprenda y practique

Le recomendamos que aprenda las expresiones y oraciones que se incluyen en esta lección. Practique usando lo aprendido cada día.

I	would like to go	but	I can't.
Me	*gustaría ir*	*pero*	*no puedo.*
You	would like to go	but	you can't.
Te	*gustaría ir*	*pero*	*no puedes.*
Le	*gustaría ir*	*pero*	*no puede.*
He	would like to go	but	he can't.
Le	*gustaría ir*	*pero*	*no puede.*
She	would like to go	but	she can't.
Le	*gustaría ir*	*pero*	*no puede.*
We	would like to go	but	we can't.
Nos	*gustaría ir*	*pero*	*no podemos.*
You	would like to go	but	you can't.
Les	*gustaría ir*	*pero*	*no pueden.*
They	would like to go	but	they can't.
Les	*gustaría ir*	*pero*	*no pueden.*

He'd like to come to the party but he has to work.
Le gustaría venir a la fiesta pero tiene que trabajar.

She'd like to see a movie tonight but she has to study.
Le gustaría ver una película esta noche pero tiene que estudiar.

They'd like to go on vacation but they can't.
Les gustaría ir de vacaciones pero no pueden.

Apuntes

Trabajo de media jornada

Un trabajo de media jornada requiere menos de 35 horas semanales; un trabajo a tiempo completo requiere 40 horas semanales o más. En estas oraciones, **part-time** (de media jornada) y **full-time** (a tiempo completo) describen la palabra **job** (trabajo). Al ser adjetivos, es decir palabras que sirven para describir, se escriben con guión.

-Is it a full-time or a part-time job?
¿Es un trabajo a tiempo completo o un trabajo de media jornada?
-I'm a part-time cashier.
Trabajo media jornada de cajero.

Estas palabras también pueden usarse como sustantivos, sin guión.

-Do you work full time or part time?
¿Trabaja usted a tiempo completo o media jornada?
-I work part time as a maintenance man.
Trabajo media jornada como empleado de mantenimiento.

Hay muchos adjetivos que se escriben con guión.

It was a six-hour drive.
Fue un viaje de seis horas en automóvil.

He wants to buy a four-door car.
Él quiere comprar un automóvil de cuatro puertas.

2 Clase

Cuando dos palabras (generalmente sustantivos) forman un solo adjetivo, éstas se separan con un guión:

a six-hour drive	*un viaje en auto de seis horas*
a four-door car	*un auto de cuatro puertas*
a full-time job	*un trabajo de tiempo completo*

Pero si estas palabras se usan como sustantivos separadamente, no necesitan guión:

We drove for six hours. *Manejamos por seis horas.*	We had a six-hour drive. *Tuvimos un viaje de seis horas.*
He bought a car with four doors. *El compró un auto de cuarto puertas.*	He bought a four-door car. *El compró un auto de cuarto puertas.*
She has a job that is full time. *Ella tiene un trabajo de tiempo completo.*	She has a full-time job. *Ella tiene un trabajo de tiempo completo.*

Antes de buscar trabajo

Antes de buscar trabajo, Theresa analizó sus aptitudes y su experiencia laboral.

I answered telephones, typed letters and organized meetings for my boss. I have experience with computers. I can speak English and Spanish.
Contestaba el teléfono, escribía cartas a máquina y organizaba reuniones para mi jefe. Tengo experiencia en el uso de computadoras.
Hablo inglés y español.

También pensó en el tipo de trabajo que le gustaría encontrar.

> I would like to work in an office.
> *Me gustaría trabajar en una oficina.*

E hizo una lista de los beneficios y condiciones de trabajo que le gustaría obtener.

> I want a full-time job with benefits like
> health insurance, sick leave, paid vacations,
> and retirement benefits.
> I don't want to work on weekends.
> *Quiero un trabajo a tiempo completo con beneficios tales*
> *como seguro médico, días por enfermedad, vacaciones*
> *pagadas y beneficios de jubilación.*
> *No quiero trabajar los fines de semana.*

Seguir el ejemplo de Theresa le ayudará a encontrar un trabajo satisfactorio. También le permitirá evaluar los trabajos potenciales.

Hoy día, pregúntele a tres personas acerca de sus trabajos. Use las frases que aparecen en este ejercicio si necesita ayuda. Comparta lo que usted hace y lo que le gustaría hacer.

Cómo buscar trabajo

En clase, los alumnos comentaron lo que se puede hacer para buscar trabajo: hablar con amigos y parientes, leer los anuncios del periódico y los carteles de ofertas de empleo.

2 Clase

Hay muchas abreviaturas en los anuncios. Éstas son las más importantes:

F/T	=	full time
P/T	=	part time
req'd.	=	required
org. skills	=	organizational skills
exper.	=	experience
biling.	=	bilingual
pref.	=	preferred
yrs.	=	years
HS/GED	=	high school diploma or General Equivalency Degree
lic. or lic'd	=	license required
$/hr.	=	salary per hour
$/wk.	=	salary per week
$1K/yr.	=	one thousand dollars per year
flex.	=	flexible

Se han de reunir ciertos requisitos para poder trabajar en ciertas profesiones. Una enfermera, por ejemplo, debe tener una licencia. Un conductor de taxi debe tener una licencia de manejar vigente.

Usando "but"

La palabra **but** le permite unir oraciones.

I'm a secretary. I'd like to be an office manager.
Soy secretaria. Me gustaría ser gerente de oficina.

I'm a secretary but I'd like to be an office manager.
Soy secretaria pero me gustaría ser gerente de oficina.

I want to go home. I can't go home.
Quiero irme a casa. No puedo irme a casa.

I want to go home but I can't.
Quiero irme a casa pero no puedo.

Tim would like to play soccer on Sunday. Tim has to study on Sunday.
A Tim le gustaría jugar al fútbol el domingo. Tim tiene que estudiar el domingo.

Tim would like to play soccer on Sunday but he has to study.
A Tim le gustaría jugar al fútbol el domingo pero tiene que estudiar.

My parents live in Chicago. My parents would like to live in Boston.
Mis padres viven en Chicago. A mis padres les gustaría vivir en Boston.

My parents live in Chicago but they would like to live in Boston.
Mis padres viven en Chicago pero les gustaría vivir en Boston.

Al tener dos oraciones distintas, las expresiones tales como **go home** o **on Sunday** se repiten en la segunda oración. Al unir las dos oraciones con la palabra **but**, estas expresiones se usan una sola vez. Además, el nombre de la persona se reemplaza por el pronombre correspondiente en la segunda parte de la oración.

conjunción copulativa, pg. 89

2 Diálogo

Éste es el texto completo del diálogo incluido en el video. Usted hará el papel del espectador **(viewer)**. Si le hacen una pregunta personal, conteste usando información personal. Tenga en cuenta que las respuestas del espectador que le proporcionamos no son las únicas respuestas correctas.

Buscando trabajo

Robert	I need to find a full-time job after graduation. *Necesito encontrar un trabajo a tiempo completo después de graduarme.*
Kathy	You're not going to study at the university? *¿No vas a estudiar en la universidad?*
Robert	I'd like to. But I need to save money and decide on a career. *Me gustaría. Pero debo ahorrar dinero y decidirme por una carrera.*
Kathy	Oh. *Oh.*
Robert	I'd like to continue working on the weekends and find another full-time job with benefits. *Me gustaría seguir trabajando los fines de semana y encontrar otro trabajo a tiempo completo con beneficios.*
Kathy	Does your part-time job have benefits? *¿Tu trabajo de media jornada te da beneficios?*

Diálogo 2

Robert — No. No health insurance. No sick leave. No paid vacations.
No. No tengo seguro médico. No tengo días por enfermedad. No tengo vacaciones pagadas.

Kathy — Well, let's look in the classifieds. What would you like to do?
Bueno, vamos a leer los anuncios. ¿Qué te gustaría hacer?

Robert — I'd like to work in an office.
Me gustaría trabajar en una oficina.

Kathy — How about you?
¿Y a usted?

Viewer *(Usted)* — I'd like to ____________.
Me gustaría____________.

Kathy — Can you type?
¿Sabe usted escribir a máquina?

Viewer *(Usted)* — Yes, I can/ No, I can't.
Sí. / No.

Kathy — What about you?
¿Y tú?

Robert — I can type, use a calculator, and answer telephones.
Sé escribir a máquina, usar la calculadora y contestar el teléfono.

2 Diálogo

Kathy	Here's one. It's in a small office, typing and answering the telephone. Can you work with computers? They require computer skills. *Aquí hay uno. Es una oficina pequeña, hay que escribir a máquina y contestar el teléfono.* *¿Sabes usar la computadora?* *Piden habilidad en computación.*
Robert	Oh, yes! I love working with computers. *¡Oh, sí! Me encanta usar computadoras.*
Kathy	Good! Can you speak Spanish? They are looking for a bilingual assistant. *¡Bien! ¿Sabes hablar español?* *Están buscando a un asistente bilingüe.*
Robert	I speak Spanish pretty well. The job sounds good. Are there any weekend hours required? *Hablo español muy bien. El trabajo suena bien.* *¿Se tiene que trabajar el fin de semana?*
Kathy	I don't know. The ad doesn't say. *No sé. El anuncio no lo menciona.*

Lección

P

P Vocabulario

Le recomendamos que lea las palabras del vocabulario antes de ver el video correspondiente a esta lección. Éstas son las palabras más importantes de esta lección.

(to) gaze	*mirar fijamente*
forest	*bosque*
fox	*zorro*
fur	*pelo, pelaje (de un animal)*
tail	*cola*

(to) know the ropes

Su traducción literal es "conocer las cuerdas". Describe a personas con experiencia en campos determinados.

— To solve this problem, we need to talk to someone who has faced something similar in the past.
— Then, let's ask Mr. Thompson. He knows the ropes.

— *Para resolver este problema, tenemos que preguntarle a alguien que se haya enfrentado a algo similar en el pasado.*
— *Entonces, preguntémosle al Sr. Thompson. Es un experto en este tema.*

Apuntes

En una oración, acentuamos:

- los nombre o sustantivos
- los verbos
- las palabras que sirven para describir
- las palabras negativas

Diga estas oraciones poniendo el acento en la palabra correcta.

Mary reads to her big dog.	*Mary le lee un libro a su perro.*
Mary's dog can't read.	*El perro de Mary no puede leer.*
Mary's dog eats her books.	*El perro de Mary se come sus libros.*
Mary loves her terrible dog.	*Mary ama a su terrible perro.*

En las respuestas siguientes, las palabras **dog** y **Mary** tienen un acento especial porque la persona que contesta a la pregunta no está de acuerdo con la que hace la pregunta.

Does Mary read to her tree?	*¿Mary le lee un libro a su árbol?*
No! She reads to her dog.	*¡No! Ella le lee un libro a su perro.*
Does the tree read to her dog?	*¿El árbol le lee un libro a su perro?*
No! Mary reads to her dog.	*¡No! Mary le lee un libro a su perro.*

En el diálogo siguiente, se pone un acento especial en palabras que normalmente no se acentúan. Acentuar las palabras **can** y **does** en estas respuestas cortas también indica que no se está de acuerdo con lo que se ha dicho.

Mary can't read.	*Mary no sabe leer.*
Yes, she can.	*Ella sí sabe leer.*
Rafael doesn't work here.	*Rafael no trabaja aquí.*
Yes, he does.	*Claro que trabaja aquí.*

3 Notas

Lección

3

3 Notas

Vocabulario 3

Le recomendamos que lea las palabras del vocabulario antes de ver el video correspondiente a esta lección. Éstas son las palabras más importantes de esta lección.

application	*solicitud*
résumé	*currículum vitae*
references	*referencias*
employment	*empleo*
interview	*entrevista*
job skills	*habilidades laborales*
	aptitudes laborales
skills	*habilidades, aptitudes*
(to) assist	*ayudar*

Más vocabulario

been	*sido, estado*
begun	*comenzado*
	empezado
done	*hecho*
eaten	*comido*
gone	*ido*
written	*escrito*
ever	*alguna vez*
never	*nunca*
yet	*todavía, aún*
already	*ya*
recently	*recientemente*
lately	*últimamente*

3 Vocabulario

Elementos esenciales

Esta sección destaca los elementos básicos de esta lección. Lea detenidamente lo que incluimos en ella.

ten years ago *hace diez años*	for ten years *desde hace diez años*	now *ahora*
1999	since 1999 *desde 1999*	now *ahora*
I am	I was	I have been *yo he sido/estado*
you are	you were	you have been *tú has sido/estado* *usted ha sido/estado*
he is	he was	he has been *él ha sido/estado*
she is	she was	she has been *ella ha sido/estado*
we are	we were	we have been *nosotros hemos sido/estado*
you are	you were	you have been *ustedes han sido/estado*
they are	they were	they have been *ellos han sido/estado*

(to) be	was, were	has/have been *ha/he/has/hemos/han sido/estado*
(to) begin	began	has/have begun *ha/he/has/hemos/han empezado*
(to) do	did	has/have done *ha/he/has/hemos/han hecho*
(to) eat	ate	has/have eaten *ha/he/has/hemos/han comido*
(to) go	went	has/have gone *ha/he/has/hemos/han ido*
(to) write	wrote	has/have written *ha/he/has/hemos/han escrito*

Aprenda y practique

Le recomendamos que aprenda las expresiones y oraciones que se incluyen en esta lección. Practique usando lo aprendido cada día.

They have lived in San Diego since 2001.
Ellos viven en San Diego desde el año 2001.

She has played piano since she was ten years old.
Ella toca el piano desde que tenía diez años.

I have been a baby-sitter for five months.
Yo llevo cinco meses de niñera.

They have lived in San Diego for five years.
Ellos viven en San Diego desde hace cinco años.

presente y pasado perfecto, pgs. 40, 42

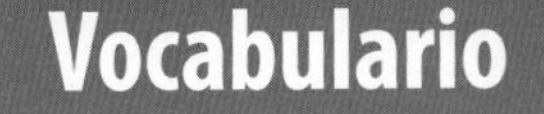

3 Vocabulario

Have you ever been to Canada?
¿Ha estado en Canadá alguna vez?

No, I've never been there.
No, nunca he estado allí.

Yes, I visited there last year.
Sí, estuve allí el año pasado.

Have you eaten lunch yet?
¿Ya has almorzado?

Yes, I've already eaten lunch.
Sí, ya he almorzado.

Lately I've been studying every night.
Últimamente, he estado estudiando todas las noches.

Recently she's been too tired to exercise.
Últimamente, ella ha estado demasiado cansada como para hacer ejercicio.

Use la palabra **have** para hablar de sus actividades diarias, de su experiencia laboral y sus pasatiempos.

Apuntes

El currículum vitae

Un currículum vitae u hoja de vida describe su experiencia, sus estudios y sus habilidades. Un currículum vitae debe contener información verdadera y debe causar buena impresión. Antes de enviarlo, léalo de nuevo para comprobar que no tiene faltas de ortografía. Debe enviar un documento limpio, sin tachaduras y que contenga la información correcta. ¡Una compañía no puede llamarle para concertar una entrevista si el número de teléfono que usted escribió es incorrecto!

Cómo solicitar trabajo

Una vez que ha seleccionado un puesto de trabajo que corresponda con sus aptitudes e intereses, o una compañía en la que le gustaría trabajar, tiene que solicitar trabajo.

Sea cuidadoso al llenar la solicitud de trabajo. Asegúrese de llevar toda la información necesaria, sin olvidarse de las referencias.

Una forma especial de usar "have"

Usamos un modelo de oración específico para hablar de una actividad que comenzó en el pasado, continúa en el presente y puede continuar en el futuro. Esta forma verbal se llama presente perfecto.

Sue has worked at the bank for three years.
Sue lleva tres años trabajando en el banco.

el presente perfecto, pg. 40

3 Clase

La oración anterior nos dice que Sue sigue trabajando en el banco. Compárela con la oración siguiente.

Sue worked at the bank for three years.
Sue trabajó en el banco durante tres años.

¿Sue sigue trabajando en el banco? No. Trabajó en el banco en el pasado pero ya no trabaja allí.

Her friends have been in New York for three days.
Sus amigos están en Nueva York desde hace tres días.

¿Están sus amigos en Nueva York? Sí.

Her friends were in New York for three days but now they are in Boston.
Sus amigos estuvieron en Nueva York durante tres días pero ahora están en Boston.

Conteste a este tipo de preguntas usando respuestas cortas.

Has Sue worked in the bank for three years?
¿Ha trabajado Sue en el banco durante tres años?
Yes, she has. / No, she hasn't.
Sí. / No.

Have your friends been in New York for three days?
¿Están sus amigos en Nueva York desde hace tres días?
Yes, they have. / No, they haven't.
Sí. / No.

En este tipo de oraciones llamadas presente perfecto, se usa el verbo **have** + el participio pasado del verbo principal. El participio pasado en los verbos regulares toma la misma forma del pasado (walked, worked, ect.)

She has worked there for six months.
Ella trabaja allí desde hace seis meses.
They have looked everywhere.
Ellos han buscado en todas partes.

Cuando se usa un verbo irregular en este tipo de oraciones que muestra una acción que comenzó en el pasado, continúa en el presente y tal vez continúe en el futuro, el participio pasado toma una forma diferente (ver pagina 114).

I have been a waitress since April.
Soy mesera desde abril.

No hay reglas para formar estos verbos. Por lo tanto, deberá aprenderlos.

(to) be	been	*sido/estado*
(to) begin	begun	*comenzado*
(to) break	broken	*roto*
(to) do	done	*hecho*
(to) eat	eaten	*comido*
(to) get	gotten/got	*obtenido*
(to) give	given	*dado*
(to) ride	ridden	*ido/montado*
(to) see	seen	*visto*
(to) take	taken	*tomado*
(to) write	written	*escrito*

el presente perfecto, pg. 40

"For" y "since"

For indica un periodo de tiempo.

I have been a taxi driver for ten years.
Soy conductor de taxi desde hace diez años.

Have you been a teacher for five months?
¿Es usted maestro desde hace cinco meses?

Since indica el momento en que empieza una actividad.

I have lived here since 1997.
Vivo aquí desde 1997.

Have you been here since 9:30?
¿Está usted aquí desde las nueve y media?

Use **since** con fechas y horas determinadas del pasado y con acontecimientos específicos que ocurrieron en el pasado.

I have worked here since I moved to Denver.
Trabajo aquí desde que me mudé a Denver.

I moved to Denver.
Me mudé a Denver.

I started working here.
Empecé a trabajar aquí.

I am still working here.
Todavía trabajo aquí.

preposiciones, pg. 83

Otras expresiones adverbiales de tiempo

Hay otras palabras que se usan en oraciones conocidas como presente perfecto donde el verbo **have** se acompaña de un participio pasado. Estas palabras son "ever", "need", "yet", "already", "recently" y "lately". Dos de las más comunes son **ever** y **never**. **Ever** se usa solamente en preguntas y **never** sólo se incluye en oraciones negativas.

Ejemplos:

Have you ever taken that medicine?
Yes, I have. / No, I haven't.
¿Ha tomado usted esa medicina alguna vez?
Sí. / No.

We've never eaten Thai food. Have you?
Yes, we have. / No, we haven't.
Nunca hemos comido comida tailandesa. ¿Y ustedes?
Sí. / No.

Yet y **already** se usan al final de la pregunta o de la frase. **Yet** se usa generalmente en preguntas.

Have you eaten yet?
¿Ha comido usted ya?
I've eaten already.
Yo ya he comido.

Las palabras **recently** y **lately** se usan con frecuencia al principio de una oración, pero se incluyen generalmente al final de una pregunta.

Lately they've played tennis on Saturday, not Sunday.
Últimamente, ellos juegan al tenis los sábados, no los domingos.

el presente perfecto, pg. 40

3 Clase

Recently we've been very busy.
Hemos estado muy ocupados recientemente.

Have you been busy lately?
¿Han estado ustedes muy ocupados últimamente?

Have you eaten at that restaurant recently?
¿Han comido en ese restaurante recientemente?

Palabras que se escriben igual

En inglés, hay muchas palabras que se escriben igual pero que no se pronuncian de la misma forma. Generalmente, la pronunciación correcta y el significado de tales palabras se determina por el contexto. Veamos un ejemplo.

I like to **read** every day.
Me gusta leer todos los días.

I **read** two books last week.
Leí dos libros la semana pasada.

¿Puede usted pronunciar las oraciones correctamente basándose en el contexto? ¿Qué oración indica una acción en el pasado?

Haga una lista de sus habilidades personales y de las habilidades requeridas para el trabajo. ¿Es usted bilingüe? ¿Tiene habilidades como vendedor/a? ¿Se siente cómodo/a hablando por teléfono? Escriba todas sus habilidades que usted piensa lo convertirán en un empleado efectivo.

Éste es el texto completo del diálogo incluido en el video. Usted hará el papel del espectador **(viewer)**. Si le hacen una pregunta personal, conteste usando información personal. Tenga en cuenta que las respuestas del espectador que le proporcionamos no son las únicas respuestas correctas.

La entrevista de trabajo

Robert
Should I wait here?
¿Debo esperar aquí?

Viewer *(Usted)*
Yes. Please have a seat.
Sí. Tome asiento, por favor.

Robert
Thank you.
Gracias.

Viewer *(Usted)*
You're welcome.
De nada.

Amy
Well, Robert, I like your résumé. You're young, but you have good retail and office experience.
Bueno, Robert, me gusta su currículum vitae. Usted es joven, pero tiene bastante experiencia en ventas al por menor y en trabajos de oficina.

Robert
Thank you. I have always liked working after school.
Gracias. Siempre me ha gustado trabajar al salir de la escuela.

Amy
You've had three jobs?
¿Ha tenido tres trabajos?

3 Diálogo

Robert	Yes, that's right. I worked at Petersen and Company for two summers. Then I went to Marks and Davis part-time for one year. *Sí, es cierto. Trabajé en "Petersen and Company" durante dos veranos. Luego trabajé media jornada en "Marks and Davis" durante un año.*
Amy	What did you do at Marks and Davis? *¿Qué hacía usted en "Marks and Davis"?*
Robert	I answered telephones and typed letters. I also worked with computers a lot. I helped other employees with computer problems. *Contestaba el teléfono y escribía cartas a máquina.* *También trabajaba mucho con computadoras.* *Ayudaba a otros empleados a resolver problemas de computación.*
Amy	Excellent. How long have you been at your current position? *Excelente. ¿Cuánto tiempo lleva trabajando en su puesto de trabajo actual?*
Robert	I've worked at Montauk's since last May. *Llevo trabajando en "Montauk's" desde mayo pasado.*
Amy	I know Montauk's well. What do you do at Montauk's? *Conozco bien "Montauk's". ¿Qué hace en Montauk's?*

Robert	I work in the men's department. But, I also help with the computerized inventory. *Trabajo en el departamento de artículos para caballeros. Pero también ayudo con el inventario computarizado.*
Amy	You like working with computers, don't you? *Le gusta trabajar con computadoras, ¿no?*
Robert	Yes, I've liked working with computers since I was very young. *Sí, me gusta trabajar con computadoras desde que era muy joven.*

Notas

Lección
4

4 Notas

Vocabulario 4

Le recomendamos que lea las palabras del vocabulario antes de ver el video correspondiente a esta lección. Éstas son las palabras más importantes de esta lección.

interview	*entrevista*
applicant	*solicitante, candidato(a)*
interviewer	*entrevistador*
(to) interview	*entrevistar*
experience	*experiencia*
education	*estudios*
personnel office	*oficina de personal*
recruiter	*persona que se dedica a la contratación de personal*
training	*capacitación, entrenamiento, formación*
(to) hire	*contratar*
(to) schedule	*programar*
(to) be honest with	*ser sincero(a) con*
interest	*interés*
reason	*razón, motivo*
beginning	*principio*
middle	*mitad*
end	*final, fin*
during	*durante*
last	*anterior, previo(a), último(a)*

Más vocabulario

formal	*formal*
informal	*informal*
(to) miss	*faltar (a una cita, a una reunión)*
(to) pick	*elegir, escoger*
(to) wait until	*esperar hasta*
(to) get lost	*perderse*
(to) bring up	*mencionar*
(to) remind	*recordarle algo a alguien*
prepared	*preparado(a)*
details	*detalles*
example	*ejemplo*
I don't mind.	*No me importa.*

Elementos esenciales

Esta sección destaca los elementos básicos de esta lección. Lea detenidamente lo que incluimos en ella.

past
pasado

present
presente

future
futuro

beginning
principio

middle
mitad

end
fin, final

during
durante

Apuntes

Una entrevista

En esta lección, los alumnos hablaron de la importancia de la entrevista de trabajo.

En el transcurso de una entrevista, el entrevistador tiene la oportunidad de reunirse con el solicitante o candidato al puesto de trabajo y conseguir información acerca de sus estudios, experiencia y habilidades especiales.

El candidato puede conseguir a su vez más información acerca de la compañía y del puesto de trabajo.

La persona que llama para fijar una entrevista puede ser el dueño de un pequeño negocio o un empleado del departamento de personal de una compañía.

En la mayoría de las compañías, pequeñas o grandes, el candidato debe llenar una solicitud en la que deberá incluir sus datos personales y proporcionar información sobre sus estudios y experiencia laboral. La compañía también puede pedirle al candidato que muestre documentos tales como la tarjeta del seguro social, diplomas, certificados o licencias. También suelen pedir referencias. Asegúrese de que las personas que incluye en la lista de referencias sepan que usted ha dado sus nombres y números de teléfono al entrevistador.

Con un compañero, practiquen haciéndose entrevistas el uno al otro para trabajos que les interesan. Primero realicen una entrevista informal para hablar de su historial de trabajo; después, pueden hacer una entrevista más formal en la cual pueden preguntarse por qué quieren trabajar para la compañía y de que manera van a contribuir a su éxito.

Antes de una entrevista

He aquí algunas cosas que deberá preparar antes de una entrevista.

- Fije una hora que sea conveniente para usted y para el entrevistador.
- Asegúrese de tener tiempo suficiente para llegar a la entrevista con puntualidad.
- Vístase adecuadamente para la entrevista.
- Lea información referente a la compañía y al puesto de trabajo.
- Asegúrese de llevar una copia de su currículum vitae y la documentación necesaria (tarjeta del seguro social, etc.)

Durante una entrevista

Estos consejos le ayudarán a tener éxito en su entrevista.

- Sea cortés y no coma, no mastique goma de mascar, ni tampoco fume.
- Hable de sí mismo y de la razón por la que le interesa el trabajo.
- Explique de qué forma sus habilidades están a la altura del puesto de trabajo.
- Haga preguntas sobre las prestaciones que ofrece la compañía y los aspectos específicos del trabajo.
- Sus respuestas deben ser completas y detalladas.

Después de una entrevista

Se aconseja enviar una carta de agradecimiento al entrevistador. En dicha carta, haga hincapié en las razones por las cuales usted cree ser la persona idónea para el puesto de trabajo.

Diálogo 4

Éste es el texto completo del diálogo incluido en el video. Usted hará el papel del espectador **(viewer)**. Si le hacen una pregunta personal, conteste usando información personal. Tenga en cuenta que las respuestas del espectador que le proporcionamos no son las únicas respuestas correctas.

Mi primer trabajo

Bill	Kathy Martin, right? Hi, I'm Bill Gordon. *Kathy Martin, ¿verdad? Hola, soy Bill Gordon.*
Kathy	Hello. It's nice to meet you. *Hola. Es un placer conocerle.*
Bill	Please have a seat. So, you would like to be an intern here at Awesome Editors? *Por favor, tome asiento.* *Entonces, ¿a usted le gustaría hacer prácticas en "Awesome Editors"?*
Kathy	Yes, I would. I think my skills, education, and experience match the job. *Sí. Creo que mis habilidades, estudios y experiencia laboral corresponden con el puesto de trabajo.*
Bill	Can I have Kathy's résumé? *¿Puede darme el currículum de Kathy?*
Viewer *(Usted)*	Yes, I'll get it. *Sí, iré a buscarlo.*
Bill	Thank you. *Gracias.*

4 Diálogo

Bill	You studied at West High School, right? *¿Estudió en West High School? ¿No?*
Kathy	Yes, that's right. I studied communications and computers. *Sí. Estudié Comunicaciones y Computación.*
Bill	Do you have experience working with video? *¿Tiene experiencia en video?*
Kathy	Yes. I worked as a video editor for two years in the school media room. I also worked as an assistant producer on my summer job. *Sí. Trabajé como editora de video durante dos años en la sala de edición de la escuela. También trabajé como asistente de producción en la temporada de verano.*
Bill	Do you have any special skills? *¿Tiene usted habilidades especiales?*
Kathy	Well, I have good organizational skills. I also like working with people. *Bueno, tengo habilidades organizativas. También me gusta trabajar con gente.*

Bill	Do you have any questions for me? *¿Desea hacerme alguna pregunta?*
Kathy	Do you provide training? *¿Ofrecen programas de formación?*
Bill	Yes. We have many training programs. Let me get you a schedule. Can you bring me a training schedule? *Sí. Tenemos muchos programas de formación.* *Déjeme conseguirle un programa.* *¿Puede traerme un programa de formación?*
Viewer *(Usted)*	Yes, I'll get a schedule for you. *Sí, le conseguiré un programa.*

V Aprendamos viajando

Lección

V

V Aprendamos viajando

Chicago, Illinois is one of America's legendary cities. The third largest city in the United States began in 1833 as a settlement of 340 people along the shores of Lake Michigan. Today over three million people reside in Chicago, with immigrants from such diverse countries as Poland, Korea, India, and Iran being added daily.

Let's look at one of the most important parts of Chicago, "The Loop." In its heyday, the 1880s, the Loop became the business center of Chicago. Corporations built their national headquarters here. Entertainment and hospitality became important also because of the Loop's many fine hotels and theaters.

Situated between The Loop and Chicago Harbor, Grant Park was built in the 1920s. Its French-Classical style includes rose gardens, promenades, and shady elm trees. Chicago's annual music festivals—jazz, blues, and gospel singing—are all held in Grant Park.

Within Grant Park is the Clarence Buckingham Fountain. This pink marble Rococo fountain was designed and built in 1927 as a memorial to Clarence Buckingham. The four bronze sea horses in the fountain represent the four states that border Lake Michigan: Illinois, Minnesota, Wisconsin, and Michigan.

On the opposite side of the park is the Art Institute of Chicago. Within its galleries are paintings by some of the world's most famous artists, including Monet, Matisse and Van Gogh. Built in 1892, the structure was designed in a traditional Classical-Renaissance style.

Aprendamos viajando

Chicago, en el estado de Illinois, es una de las ciudades legendarias de los Estados Unidos. La ciudad que en 1883 era un asentamiento de trescientas cuarenta personas a orillas del lago Michigan, se ha convertido en la tercera ciudad más grande de los Estados Unidos. Hoy en día, más de tres millones de personas residen en Chicago; inmigrantes de diversos países tales como Polonia, Corea, India e Irán siguen llegando a diario a la ciudad.

Echemos un vistazo a uno de los lugares más importantes de Chicago: "The Loop". En 1880, la época de su apogeo, The Loop se convirtió en el centro comercial y financiero de Chicago. Las corporaciones instalaron sus oficinas centrales aquí. Los numerosos hoteles de lujo y teatros incrementaron la importancia de los espectáculos y de la hospitalidad.

El parque Grant, situado entre el Loop y el puerto de Chicago, se construyó en los años veinte. Sus rosales, paseos y olmos son ejemplos del estilo clásico francés. Todos los festivales de música -jazz, blues y gospel- se celebran cada año en el parque Grant.

La fuente Clarence Buckingham está en el parque Grant. Esta fuente de mármol rosa de estilo rococó se diseñó y construyó en 1927 en homenaje a Clarence Buckingham. Los cuatro caballos de mar hechos de bronce representan a los cuatros estados que bordean el lago Michigan: Illinois, Minnesota, Wisconsin y Michigan.

El Instituto de Arte de Chicago está situado en el lado opuesto del parque. Sus galerías exponen cuadros de los artistas más famosos del mundo, tales como Monet, Matisse y Van Gogh. Edificada en 1892, la estructura se diseñó en el estilo clásico del Renacimiento.

Across the street from the Art Institute is Orchestra Hall/Symphony Center. This is the home of the Chicago Symphony Orchestra and the Chicago Symphony Chorus.

Just south of the Center, down Michigan Avenue, is the Fine Arts Building. Its current residents include the Jazz Institute of Chicago, the Boitsov Classical Ballet Company, and the Performing Arts of Chicago. Talented music students flock here to study under some of the best teachers in America.

If ballet is more your interest, plan a trip to the world famous Joffrey Ballet. The legendary dance company moved to Chicago in 1995 and now performs in the Auditorium Theater.

There are also many sculptures in the Loop, including this untitled work by Pablo Picasso, Alexander Calder's "Flamingo," and Joan Miro's "Miro's Chicago."

In the early 1800s the South Loop was home to Chicago's wealthy families. In the early 1900s, the area became an unpleasant industrial center. Now, the South Loop has been transformed into offices, restaurants, and new residential complexes. To catch a picture of the past, take a look at the Pontiac Building still standing on South Dearborn Street. Built in 1891, this 14-story structure was one of the first skyscrapers in North America.

The South Loop area around the Pontiac Building is known as the Printing House Row District. Chicago's printing industry began here in the 1880s.

El Centro Sinfónico Orchestra Hall está situado enfrente del Instituto de Arte. Dicho centro es la sede de la Orquesta Sinfónica de Chicago y del Coro Sinfónico de Chicago.

El edificio de Bellas Artes está en la avenida Michigan, justo al sur del Centro Sinfónico. Este edificio alberga el Instituto de Jazz de Chicago, la Compañía de Ballet Boitsov y el Centro de Artes Interpretativas de Chicago. Estudiantes de música con talento vienen a estudiar con los mejores profesores de los Estados Unidos.

Si el ballet le interesa más, incluya en su programa de actividades al Ballet Joffrey, la compañía de ballet de fama mundial. La legendaria compañía se trasladó a Chicago en 1995 y ahora actúa en el Teatro Auditorium.

También hay muchas esculturas en el Loop, tales como esta obra sin título creada por Pablo Picasso, "Flamingo" de Alexander Calder y la obra "Chicago" de Joan Miró.

A principios del siglo diecinueve, las familias acaudaladas de Chicago vivían en el South Loop. A principios del siglo veinte, el área se convirtió en un centro industrial desagradable. Hoy en día, el South loop alberga oficinas, restaurantes y barrios residenciales. Si desea contemplar un vestigio del pasado, eche una mirada al edificio Pontiac, que sigue en pie en la calle South Dearborn. Construido en 1891, este edificio de catorce pisos fue uno de los primeros rascacielos de América del Norte.

El barrio de la imprenta está cerca del edificio Pontiac. El negocio de la imprenta de Chicago empezó aquí en 1880.

Now many of its detailed 19th century buildings have been renovated for new uses. Grace Place was once a three-story printer's building and is now a house of worship. This is the highly decorated façade of the brown brick Franklin Building. There are many other similar buildings in this historical area once known for its printing and publishing.

Just east of the printing district, and along Lake Shore Drive is the Museum Campus. A free trolley carries people between the three famous museums.

The Field Museum was restored in 1987 and offers visitors a view of the world of natural history. Sue, the largest tyrannosaurus rex ever discovered is being reconstructed in the museum.

The John G. Shedd Aquarium contains the largest indoor aquarium in the world. Visitors can watch divers feed fish and other sea creatures daily. The Oceanarium is the world's largest marine mammal facility and includes whales, sea otters and dolphins.

The third museum is the Adler Planetarium. Designed in 1930, it was the first planetarium in the United States. Both modern and antique astronomical instruments are displayed, along with spectacular shows about the heavens.

Burnham Park is the home of the McCormick Place Convention Complex. This massive building is host to many gatherings and shows, including automobiles, boats, and publishing. For many people, coming to a convention held at McCormick Place is their reason for exploring the rest of Chicago.

Hoy en día, la mayoría de los edificios del siglo diecinueve se han renovado y acondicionado para albergar otro tipo de actividades o negocios. El edificio de tres pisos llamado Grace Place fue una imprenta y se ha convertido en un templo religioso. Ésta es la fachada labrada del edificio de ladrillos marrones llamado edificio Franklin. Hay otros edificios similares en esta sección histórica de la ciudad, conocida antaño por sus imprentas y editoriales.

El Museo Campus está justo al este del distrito de la imprenta, en el Lake Shore Drive. Un trolebús lleva gratuitamente a la gente de un museo a otro.

El Museo Field se restauró en 1987 y ofrece a sus visitantes una visión del mundo de la historia natural. Sue, el tiranosaurus rex más grande que se haya descubierto, se está armando en el museo.

El Acuario John G. Shedd dispone del acuario cubierto más grande del mundo. Todos los días, los visitantes pueden ver a buzos alimentando a una gran variedad de peces y demás animales marinos. El Oceanarium es el centro de mamíferos marinos más grande del mundo e incluye ballenas, nutrias y delfines.

El tercer museo el Adler Planetarium. Diseñado en 1930, fue el primer planetario de los Estados Unidos. Se exponen instrumentos de astronomía antiguos y modernos y se presentan espectáculos celestes impresionantes.

El Palacio de Congresos McCormick Place está en Burnham Park. En este edificio de aspecto masivo, se han organizado numerosos congresos y ferias tales como la feria del automóvil, de la navegación y la feria del libro. Para mucha gente, ir a un congreso o a una feria en McCormick Place es el pretexto para visitar el resto de la ciudad de Chicago.

Aprendamos viajando

If shopping interests you, the Magnificent Mile is the place to go in Chicago. Located on North Michigan Avenue, the Magnificent Mile offers consumers many department stores and specialty shops to browse.

While shopping you might notice the profile of a tall building. This is the dramatic John Hancock Center, often referred to as "Big John." Take the high-speed elevator to the Skydeck Observatory on the 94th floor for spectacular views of the city, including The Loop and Lake Michigan.

But "Big John" is not the tallest building in Chicago. Standing some 327 feet higher is the Sears Tower. Located in The Loop on South Wacker Drive, the Sears Tower's Skydeck Observatory offers visitors a panoramic view of Chicago from the 103rd floor.

A visit to the legendary section known as "Old Town" will give an understanding of Chicago's history. During the mid-nineteenth century, Old Town was called "Cabbage Patch." It was made up of gardens and cow pastures, but soon immigrants from around the world began to build homes and this area became known as the Old Town Triangle District—now a Chicago Landmark

Ethnic restaurants, small shops, and bookstores are found in the Triangle District. In 1852 the first church, Saint Michael's Church, was built by German immigrants on North Cleveland Avenue.

Chicago has everything that a visitor could ask for: internationally acclaimed theater and symphonies, acres of parks, miles of lakefront beaches, some of the finest shopping in America, and a diversity of art galleries and museums that is the envy of many cities. It is a city that calls out to be explored and enjoyed.

Si le interesa ir de compras, Magnificent Mile es el lugar indicado en Chicago. Situado en North Michigan Avenue, Magnificent Mile ofrece a los consumidores numerosos grandes almacenes y tiendas especializadas a los que pueden echar un vistazo.

Si está de compras, puede que se fije en el perfil de un rascacielos. Es el John Hancock Center, al que se suele llamar Big John. Tome el elevador de alta velocidad hacia el piso noventa y cuatro para disfrutar de vistas espectaculares de la ciudad; desde aquí, se puede ver The Loop y el lago Michigan.

Pero Big John no es el edificio más alto de Chicago. La torre Sears tiene 327 pies más de altura. Está en El Loop, en South Wacker Drive, y el mirador del piso ciento tres ofrece a los visitantes vistas panorámicas de la ciudad.

Visitar el barrio legendario llamado "Old Town" le permitirá conocer los orígines de Chicago. A mediados del siglo diecinueve, Old Town era conocido como "la parcela del repollo". Sólo había jardines y tierras de pastoreo. Pero poco después, los inmigrantes llegados del mundo entero comenzaron a edificar casas y esta zona se empezó a llamar Old Town Triangle District. Hoy en día, es uno de los lugares destacados de Chicago.

En el distrito Triangle, encontrará restaurantes de cocina internacional, pequeñas tiendas y librerías. En 1852, un grupo de inmigrantes alemanes construyó la primera iglesia, la iglesia St. Michael, situada en la avenida North Cleveland.

Chicago tiene todo lo que un visitante pueda desear: teatros y orquestas de renombre internacional, parques, extensiones de playas a orillas del lago y numerosas galerías de arte y museos que son la envidia de muchas ciudades. Es una ciudad que pide a gritos que la exploren y disfruten de ella.

C Aprendamos cantando

Lección

C

Notas

Música y letra
Jim Croce

La música y letra de las canciones se encuentran en los videos. Localice en su video la sección titulada "Aprendamos cantando".

Bad, Bad Leroy Brown

Bienvenido a **Aprendamos cantando**, la sección de Inglés Sin Barreras donde se aprende inglés escuchando y cantando conocidas canciones.

Bad, Bad Leroy Brown fue el primer gran éxito del famoso y difunto cantante y compositor estadounidense, Jim Croce. Para este tema, Croce se inspiró en la música blues de los barrios pobres de Chicago. Como todo gran éxito, esta canción ha sido interpretada por muchos artistas; entre ellos, Frank Sinatra.

En esta canción, el compositor intentó imitar la forma de hablar de la gente pobre de Chicago y por lo tanto, el nivel de inglés que encontrará en la canción es bastante bajo.

Se usan adjetivos incorrectos. El cantante dice **the baddest part of town,** en vez de **the worst part of town** (la peor parte de la ciudad). También se utiliza la expresión **badder than** en vez de **worse than** para decir "peor que".
Los verbos se utilizan de forma incorrecta. Por ejemplo: la forma correcta de **he stand** es **he stands**, (él está parado).

En muchos casos, los verbos auxiliares **to have** y **to be** desaparecen por completo.
Leroy, shooting dice en vez de **Leroy was shooting dice** (Leroy estaba jugando a los dados).
He got en vez de **he has got** (él tiene). Esta abreviatura es muy común y la escuchará a menudo.

Aprendamos cantando

Ol' es la abreviatura de **old** (viejo), y **you'd better** es la contracción de **you had better** (será mejor). **He's** es la contracción de **he has**.

To shoot significa "disparar", pero cuando este verbo se refiere a la palabra **dice** (dados) su significado es distinto. **Shooting dice** no quiere decir "disparar" dados, sino "jugar" a los dados.

De igual forma, **he cast his eyes upon her** no puede traducirse palabra por palabra (le echó sus ojos encima). Significa "le echó la vista encima", o "la miró".

La frase **to mess with** quiere decir "meterse con" o "liarse con" en el inglés informal. **Messing with the wife of a jealous man** significa "meterse con la mujer de un hombre celoso". Una frase muy común es **Don't mess with me**! (¡no te metas conmigo!).

Cuando se añade la palabra **to** al final del verbo **to take**, **to take to**, entonces significa "aficionarse a" o "empezar a". En la canción, encontrará la frase **the two men took to fighting** (los dos hombres empezaron a pelearse).

Como hemos visto, esta canción está llena de **idioms** (modismos). Se sorprenderá al comprobar cuántas veces los escuchará al conversar en inglés.

Ahora, diviértase con Bad, Bad Leroy Brown.

Bad, Bad Leroy Brown

Well, the south side
of Chicago
Is the baddest part of town
And if you go down there
You'd better beware
Of a man named Leroy Brown

Now, Leroy, born in trouble
You see,
He stand about six foot four
All those downtown ladies
Call him Treetop Lover
All the men just call him "sir"

And he's bad, bad Leroy Brown
The baddest man in the whole
downtown
Badder than ol' King Kong
And meaner than a junkyard dog
Now, Leroy, he's a gambler
And he likes his fancy clothes
And he likes to wear his
diamond ring
In front of everybody's nose

Malo, malo Leroy Brown

Bien, el lado sur
De Chicago
Es la peor parte de la ciudad
Y si vas allí
Será mejor que tengas cuidado
Con un hombre llamado Leroy Brown

Ahora, Leroy nació metido en líos
Verá
Mide unos seis pies cuatro
Todas esas damas del centro
Le llaman Amante Arbóreo
Todos los hombres sólo le llaman "señor"

Y él es el malo, malo Leroy Brown
El peor hombre de todo
el centro
Peor que el viejo King Kong
Y más vil que un perro de chatarrería
Ahora, Leroy es un tahúr
Y le gusta su ropa fina
Y le gusta ponerse su anillo de
diamantes
Delante de las narices de todos

Aprendamos cantando

He got a custom Continental	*Tiene un Continental a medida*
He got an Eldorado too	*Tiene un Eldorado también*
He got a thirty-two gun	*Tiene una pistola calibre treinta y dos*
In his pocket of fun	*En su bolsillo de diversiones*
He got a razor in his shoe	*Tiene una navaja en su zapato*
And he's bad, bad Leroy Brown	*Y él es el malo, malo Leroy Brown*
The baddest man in the whole	*El peor hombre de todo*
downtown	*el centro*
Badder than ol' King Kong	*Peor que el viejo King Kong*
And meaner than a junkyard dog	*Y más vil que un perro de chatarrería*
Well, Friday,	*Pues bien, el viernes,*
about a week ago	*hace más o menos una semana*
Leroy, shooting dice	*Leroy estaba jugando a los dados*
And at the end of the bar	*Y al extremo del bar*
Sat a girl,	*Estaba sentada una muchacha*
name of Doris	*llamada Doris*
And, oh, that girl looked nice	*Y, oh, esa muchacha lucía bien*
Well, he cast his eyes upon her	*Pues bien, la miró*
And the trouble soon began	*Y pronto empezaron los líos*
And Leroy Brown	*Y Leroy Brown*
Learned a lesson about messing	*Aprendió una lección acerca de meterse*
With the wife of a jealous man	*Con la esposa de un hombre celoso*
And he's bad, bad Leroy Brown	*Y él es el malo, malo Leroy Brown*
The baddest man in the whole	*El peor hombre de todo*
downtown	*el centro*
Badder than ol' King Kong	*Peor que el viejo King Kong*
Meaner than a junkyard dog	*Más vil que un perro de chatarrería*

Well, the two men
Took to fighting
And when they pulled them
From the floor
You know, Leroy looked
like a jigsaw puzzle
With a couple of pieces gone

Pues bien, los dos hombres
Empezaron a pelear
Y cuando los levantaron
Del piso
Sabes, Leroy parecía
un rompecabezas
Sin un par de piezas

And he's bad, bad Leroy Brown
The baddest man in the whole
downtown
Badder than ol' King Kong
And meaner than a junkyard dog

Y él es el malo, malo Leroy Brown
El peor hombre de todo
el centro
Peor que el viejo King Kong
Y más vil que un perro de chatarrería

And he's bad, bad Leroy Brown
The baddest man in the whole
downtown
Badder than ol' King Kong
Meaner than a junkyard dog
Badder than ol' King Kong
Meaner than a junkyard dog

Y él es el malo, malo Leroy Brown
El peor hombre de todo
el centro
Peor que el viejo King Kong
Más vil que un perro de chatarrería
Peor que el viejo King Kong
Más vil que un perro de chatarrería

rotten to the core

Significa "podrido hasta la médula". Se usa para referirse a una mala persona.

— Is Albert in jail again?
— Yes. He's rotten to the core.

— *¿Alberto está de nuevo en la cárcel?*
— *Sí. Es un canalla.*

C Aprendamos conversando

Lección

C

C Notas

Actividad 1
Are you an accountant?
Is he an architect?
Is she a baby-sitter?
Are you a bank teller?
Is she a cashier?
Is he a construction worker?
Are you an engineer?
Is he a maintenance man?
Is she a musician?
Is he an office manager?
Is she a secretary?
Are you a taxi driver?
Is he a waiter?
Is she a waitress?
Are you a teacher?
Is he a restaurant owner?

Actividad 2
What do you do?
What do you do for a living?
What's your occupation?
What kind of work do you do?
What sort of work do you do?
What line of work are you in?

Actividad 3
What do you do for a living?
I'm a construction worker.
What would you like to do?
I'd like to be an architect.
He's a construction worker, but he'd like to be an architect.

What's your occupation?
I'm a cook.
What would you like to do?
I'd like to be a waitress.
She's a cook, but she'd like to be a waitress.

Actividad 1
¿Es usted contador?
¿Es arquitecto?
¿Es niñera?
¿Es usted cajero?
¿Es cajera?
¿Es albañil?
¿Es usted ingeniero?
¿Es empleado de mantenimiento?
¿Es música?
¿Es gerente de oficina?
¿Es secretaria?
¿Es usted taxista?
¿Es mesero?
¿Es mesera?
¿Es usted maestro?
¿Es dueño de un restaurante?

Actividad 2
¿En qué trabaja usted?
¿A qué se dedica usted?
¿Cuál es su profesión?
¿Qué tipo de trabajo hace usted?
¿Qué tipo de trabajo hace usted?
¿A qué se dedica usted?

Actividad 3
¿A qué se dedica usted?
Soy albañil.
¿Qué le gustaría hacer?
Me gustaría ser arquitecto.
Es albañil pero le gustaría ser arquitecto.

¿Cuál es su profesión?
Soy cocinera.
¿Qué le gustaría hacer?
Me gustaría ser mesera.
Es cocinera pero le gustaría ser mesera.

C Aprendamos conversando

What kind of work do you do?
I'm a cashier.
What would you like to do?
I'd like to be an accountant.
He's a cashier, but he'd like to be an accountant.

¿Qué tipo de trabajo hace usted?
Soy cajero.
¿Qué le gustaría hacer?
Me gustaría ser contador.
Es cajero pero le gustaría ser contador.

What do you do?
I'm a baby-sitter.
What would you like to do?
I'd like to be a teacher.
She's a baby-sitter, but she'd like to be a teacher.

¿En qué trabaja usted?
Soy niñera.
¿Qué le gustaría hacer?
Me gustaría ser maestra.
Es niñera pero le gustaría ser maestra.

What line of work are you in?
I'm an engineer.
What would you like to do?
I'd like to be a musician.
He's an engineer, but he'd like to be a musician.

¿A qué se dedica usted?
Soy ingeniero.
¿Qué le gustaría hacer?
Me gustaría ser músico.
Es ingeniero pero le gustaría ser músico.

What sort of work do you do?
I'm a secretary.
What would you like to do?
I'd like to be an office manager.
She's a secretary, but she'd like to be an office manager.

¿Qué tipo de trabajo hace usted?
Soy secretaria.
¿Qué le gustaría hacer?
Me gustaría ser gerente de oficina.
Es secretaria pero le gustaría ser gerente de oficina.

Actividad 4
I like working in an office.
Does he work in an office?
Yes, he does.

Actividad 4
Me gusta trabajar en una oficina.
¿Trabaja en una oficina?
Sí.

I'd like to work in an office.
Does she work in an office?
No, she doesn't.

Me gustaría trabajar en una oficina.
¿Trabaja en una oficina?
No.

I'd like to study French.
Does he study French now?
No, he doesn't.

Me gustaría estudiar francés.
¿Estudia francés en este momento?
No.

I like to go shopping with my mother.
Does she go shopping with her mother?
Yes, she does.

Me gusta ir de compras con mi madre.
¿Va de compras con su madre?
Sí.

I'd like to go to the movies every week.
Does he go to the movies every week?
No, he doesn't.

Me gustaría ir al cine cada semana.
¿Va al cine cada semana?
No.

I like to speak many languages.
Does she speak many languages?
Yes, she does.

Me gusta hablar muchos idiomas.
¿Habla muchos idiomas?
Sí.

I'd like to change my job every year.
Does he change his job every year?
No, he doesn't.

Me gustaría cambiar de trabajo cada año.
¿Cambia de trabajo cada año?
No.

Actividad 5
Diálogo 1 (ver página 15)
Dan: I had to work late last night.
. . . .
I had to study all night.
I had to send out ten résumés.
I had to go on seven job interviews.
I had to find a new job last year.
. . . .
What would Dan and Amy like to do for a living?
Dan would like to be a teacher and Amy would like to own a restaurant.

Diálogo 2 (ver página 30)
Robert: I love working with computers.

. . . .
I love answering phones.
I love traveling to different countries.
I love typing letters.
I love training co-workers.
I love managing people.

Actividad 5
Diálogo 1
Dan: Tuve que trabajar hasta tarde anoche.
. . . .
Tuve que estudiar toda la noche.
Tuve que enviar diez currículums.
Tuve que ir a siete entrevistas de trabajo.
Tuve que buscar trabajo el año pasado.
. . . .
¿A qué quisieran dedicarse Dan y Amy?
A Dan le gustaría ser maestro y a Amy le gustaría ser dueña de un restaurante.

Diálogo 2
Robert: Me encanta trabajar con computadoras.
. . . .
Me encanta contestar el teléfono.
Me encanta viajar a países diferentes.
Me encanta mecanografiar cartas.
Me encanta entrenar a compañeros de trabajo.
Me encanta dirigir a otras personas.

C Aprendamos conversando

For the job in the ad, what are the responsibilities?
Typing, answering the telephone, working with computers, and speaking Spanish.

¿Cuáles son las responsabilidades indicadas en el anuncio de trabajo?
Escribir a máquina, contestar el teléfono, manejar computadoras y hablar español.

Diálogo 3 (ver página 49)
Amy: How long have you been at your current position?
He has been at his current position since May.

Diálogo 3
Amy: ¿Cuánto tiempo lleva trabajando en su empleo actual?
Él ha estado en este puesto desde mayo.

. . . .

How long have you been a student?
How long have you been living in the United States?
How long have you been a department manager?
How long have you been working full-time?

¿Cuánto tiempo hace que es estudiante?
¿Cuánto tiempo lleva viviendo en Estados Unidos?
¿Cuánto tiempo lleva trabajando de gerente de departamento?
¿Cuánto tiempo lleva trabajando a tiempo completo?

. . . .

How many jobs has Robert had?
He's had three jobs.

¿Cuántos empleos ha tenido Robert?
Ha tenido tres empleos.

Diálogo 4 (ver página 59)
Bill: Do you have experience working with video?

Diálogo 4
Bill ¿Tiene experiencia en video?

. . . .

Do you have experience using a cash register?
Do you have experience speaking English at work?
Do you have experience driving a truck?
Do you have experience answering phones?
Do you have experience working with children?

¿Tiene experiencia en el manejo de una caja registradora?
¿Tiene experiencia en hablar inglés en el trabajo?
¿Tiene experiencia en el manejo de un camión?
¿Tiene experiencia en contestar el teléfono?
¿Tiene experiencia en trabajar con niños?

. . . .

What did Kathy study at school?
She studied communications and computers.

¿Qué estudió Kathy en la escuela?
Estudió comunicaciones y computación.

Aprendamos conversando C

Actividad 6
Does the job offer health insurance?
Does the job offer paid vacations?
Does the job offer life insurance?
Does the job offer retirement benefits?
Does the job offer disability insurance?
Does the job offer tuition reimbursement?

Actividad 6
¿Ofrece el trabajo un seguro médico?
¿Ofrece el trabajo vacaciones pagadas?
¿Ofrece el trabajo un seguro de vida?
¿Ofrece el trabajo prestaciones de ayuda a la jubilación?
¿Ofrece el trabajo un seguro de incapacidad?
¿Ofrece el trabajo el reembolso de gastos escolares?

Actividad 7
Man: Have you ever worked in an office?
Woman: Yes, I have.
Man: Have you ever managed an office?
Woman: No, I haven't.
She has worked in an office, but she has never managed an office.

Woman: Have you ever studied Spanish?
Man: Yes, I have.
Woman: Have you ever spoken Spanish at work?
Man: No, I haven't.
He has studied Spanish, but he has never spoken Spanish at work.

Man: Have you ever been a cashier?
Woman: Yes, I have.
Man: Have you ever been a salesperson?
Woman: No, I haven't.
She has been a cashier, but she has never been a salesperson.

Actividad 7
Hombre: ¿Ha trabajado en una oficina alguna vez?
Mujer: Sí.
Hombre: ¿Ha administrado una oficina alguna vez? Mujer: No.
Ha trabajado en una oficina pero nunca ha administrado una oficina.

Mujer: ¿Ha estudiado español alguna vez?
Hombre: Sí.
Mujer: ¿Ha hablado español en el trabajo alguna vez?
Hombre: No.
Ha estudiado español pero nunca ha hablado español en el trabajo.

Hombre: ¿Ha sido cajera alguna vez ?
Mujer: Sí.
Hombre: ¿Ha sido vendedora alguna vez?
Mujer: No.
Ha sido cajera pero nunca ha sido vendedora.

C Aprendamos conversando

Woman: Have you ever worked with computers?
Man: Yes, I have.
Woman: Have you ever trained co-workers to use computers?
Man: No, I haven't.
He has worked with computers, but he has never trained co-workers to use computers.

Mujer: ¿Ha trabajado alguna vez con computadoras?
Hombre: Sí.
Mujer: ¿Ha entrenado alguna vez a un compañero a usar computadoras?
Hombre: No.
Ha trabajado con computadoras pero nunca a entrenado a un compañero a usar computadoras.

Man: Have you ever been a baby-sitter?
Woman: Yes, I have.
Man: Have you ever been a teacher?
Woman: No, I haven't.
She has been a baby-sitter, but she has never been a teacher.

Hombre: ¿Ha sido niñera alguna vez?
Mujer: Sí.
Hombre: ¿Ha sido maestra alguna vez?
Mujer: No.
Ha sido niñera pero nunca ha sido maestra.

Woman: Have you ever had a full-time job?
Man: Yes, I have.
Woman: Have you ever worked on weekends?
Man: No, I haven't.
He has had a full-time job, but he has never worked on weekends.

Mujer: ¿Ha tenido un trabajo a tiempo completo alguna vez?
Hombre: Sí.
Mujer: ¿Ha trabajado los fines de semana alguna vez?
Hombre: No.
Ha tenido un trabajo a tiempo completo pero nunca ha trabajado los fines de semana.

Actividad 8 (ver página 77-79)

Actividad 8

Actividad 9
Man: I'm not happy at work.
Woman: You'd better look for another job.

Man: I don't have health insurance.
Woman: You'd better find a job with benefits.

Man: The company is very formal.
Woman: You'd better not wear jeans to work.

Actividad 9
Hombre: No soy feliz en el trabajo.
Mujer: Más vale que busque otro trabajo.

Hombre: No tengo seguro médico.
Mujer: Más vale que encuentre un trabajo con prestaciones.

Hombre: La empresa es muy formal.
Mujer: Más vale que no use pantalones de mezclilla en el trabajo.

Man: I was late for work twice last week.
Woman: You'd better leave the house earlier.

Hombre: Llegué tarde dos veces al trabajo la semana pasada.
Mujer: Más vale que salga más temprano de la casa.

Man: I have a job interview tomorrow.
Woman: You'd better not forget to bring your résumé.

Hombre: Mañana tengo una entrevista de trabajo.
Mujer: Más vale que no se le olvide traer su currículum vítae.

Man: I don't earn enough money.
Woman: You'd better ask for a raise.

Hombre: No gano suficiente dinero.
Mujer: Más vale que pida un aumento.

Man: My boss was angry because I was talk ing on the phone to my girlfriend for an hour.
Woman: You'd better not make personal calls from work.

Hombre: Mi jefe estaba enojado porque estuve hablando por teléfono con mi novia durante una hora.
Mujer: Más vale que no haga llamadas personales desde el trabajo.

Man: I want a new career.
Woman: You'd better go back to school.

Hombre: Quiero una carrera nueva.
Mujer: Más vale que retome sus estudios.

Actividad 10

1. What should you do with a friend or relative before the interview?
2. What should you bring to the interview?
3. What shouldn't you do at the interview?
4. Should you shake hands with the interviewer?
5. Should you learn the interviewer's name?
6. Should you be quiet and serious—or enthusiastic?
7. What should you ask questions about?

Actividad 10

1. *¿Qué debería hacer con un amigo o pariente antes de la entrevista?*
2. *¿Qué debería traer a la entrevista?*
3. *¿Qué no debería hacer durante la entrevista?*
4. *¿Debería darle la mano al entrevistador?*
5. *¿Debería averiguar el nombre del entrevistador?*
6. *¿Debería ser callado y serio, o entusiasta?*
7. *¿Sobre qué debería hacer preguntas?*

C Aprendamos conversando

Man: Before the Interview
Woman: Learn about the organization.
Man: Have a specific job or jobs in mind.

Woman: Review your qualifications for the job.
Man: Prepare answers to general questions about yourself.
Woman: Review your résumé.
Man: Practice an interview with a friend or relative.
Woman: Arrive before the scheduled time of your interview.
Man: Be neat and clean and dress appropriately.
Woman: Bring these things to the interview:
Man: A Social Security card; government identification, such as a driver's license;
a résumé; and references.

Woman: Employers usually ask for three references. Get permission before using anyone as a reference. And make sure they will give you a good reference. Try not to use relatives as references.

. . . .

Hombre: Antes de la entrevista
Mujer: Infórmese sobre la organización.
Hombre: Tenga en mente un trabajo o trabajos específicos.
Mujer: Revise sus calificaciones para el trabajo.
Hombre: Prepare respuestas a preguntas generales sobre usted.
Mujer: Revise su currículum .
Hombre: Practique una entrevista con un amigo o pariente.
Mujer: Llegue antes de la hora programada para la entrevista.
Hombre: Tenga un aspecto arreglado y limpio y vístase de manera apropiada.
Mujer: Traiga estas cosas a la entrevista:
Hombre: La tarjeta del Seguro Social; un documento de identidad tal como una licencia de manejo, un currículum y referencias.
Mujer: Los empleadores suelen pedir tres referencias. Pida permiso antes de usar a una persona como referencia. Asegúrese de que le den una buena referencia. Procure no usar a parientes como referencias.

. . . .

Aprendamos conversando

Man: At the Interview
Woman: Do not eat, chew gum, or smoke.
Man: Relax and answer each question simply and clearly.
Woman: Learn the name of your interviewer and shake hands as you meet.
Man: Be enthusiastic.
Woman: Ask questions about the position and the organization.
Man: Say thank you to the interviewer when you leave.

Hombre: Durante la entrevista
Mujer: No coma, no mastique chicle y no fume.
Hombre: Relájese y conteste a las preguntas de manera sencilla y clara.
Mujer: Averigüe el nombre de su entrevistador y déle la mano al conocerlo.
Hombre: Sea entusiasta.
Mujer: Haga preguntas acerca del empleo y la organización.
Hombre: Al irse, dé las gracias al entrevistador.

Notas